D0636423

Goudkust United!

Rom Molemaker

Goudkust United!

Met illustraties van Andrea Kruis

Van Holkema & Warendorf

Voor Annemarie

ISBN 978 90 475 0984 4
NUR 282
© 2009 Uitgeverij Van Holkema & Warendorf,
Unieboek BV, Postbus 97, 3990 DB Houten

www.unieboek.nl
www.rommolemaker.nl

Tekst: Rom Molemaker
Illustraties: Andrea Kruis
Omslagontwerp: Petra Gerritsen
Zetwerk binnenwerk: ZetSpiegel, Best

Ik... Ze gaan... Ze willen... Nou já!

 'Ze zijn gek geworden!'
Sjaak Spetter loopt met grote, woedende stappen de straat op. Het papier dat hij in zijn hand heeft wappert in de wind. 'Knettergek, zeg ik!'

'Môge, Sjaak.' Oma Spagaat zit in haar tuinstoel onder de partytent. 'Is er wat?'

'Heb je het gelezen?' Sjaak loopt haar tuintje in en houdt haar het papier onder haar neus. 'Wat ze nou weer hebben bedacht!'

'Even mijn leesbril pakken.' Oma Spagaat graait in de tas naast haar stoel. 'Waar heb ik dat ding?'

'Maar we pikken het niet, dat zeg ik je!'

'Ha, hier is-ie... O nee, dat is mijn zonnebril. Wacht even.' Oma Spagaat zoekt verder.

'Schiet nou op, mens!' Sjaak draait zich om en tuft met een boog over het tuinhekje heen. Hij heet eigenlijk Sjaak Eigenbaas, maar omdat hij altijd om zich heen loopt te tuffen noemt iedereen hem Sjaak Spetter.

'Zal ik het anders even voorlezen?' zegt hij.

5

'Nee, wacht, ik heb hem al.' Oma Spagaat zet haar leesbril op het puntje van haar neus. 'Laat maar eens zien.' Ze bekijkt het vel papier, dat Sjaak nog steeds onder haar neus houdt. 'O, bedoel je dat? Van die bushalte, dat heb ik gelezen, ja.'

'Wat nou bushalte!' Sjaak springt bijna op en neer van ongeduld. 'Lees dan!'

'Dat doe ik toch? Er komt een bushalte voor mijn deur. Lekker makkelijk, toch?'

'Denk nou eens na, oma. Een bushalte voor de deur, wat zeur je nou? Er ríjden in onze straat helemaal geen bussen.'

'Verrek, dat is waar. Gek, zeg.'

'Heb je zelf niet zo'n blaadje in de bus gehad?'

'Ja, dat ligt binnen.'

'Lees het dan zelf maar. Ik ga naar Mercedes Beng. Ze zijn echt zo gek als een gewei!' Sjaak grist het papier uit haar handen en loopt op hoge poten weg.

Oma Spagaat, die eigenlijk Spaargaren heet, wordt door iedereen oma Spagaat genoemd, omdat ze vroeger turn-kampioen is geweest. Van West-Nederland. Ze legt haar leesbril op het tuintafeltje, staat op uit haar stoel en loopt naar binnen. Het is even zoeken, maar dan heeft ze het gevonden. Met net zo'n papier als dat van Sjaak Spetter gaat ze terug naar haar tuinstoel. Ze zet haar leesbril weer op en bekijkt het nauwkeurig.

'Pom pom pom,' neuriet ze. 'Wat een opwinding, pom-perdepomperdepom.' Maar dan houdt ze opeens haar adem in. 'Krijg nou van alles en nog wat,' zegt ze verbluft. 'Sjaak heeft gelijk: ze zijn gek geworden!'

Ze staat half op uit haar stoel en zakt weer terug, nog steeds met een verbaasde uitdrukking op haar gezicht.

'Waar sláát dit op!' zegt ze hardop. 'Waar sláát dít óp!'

'Wat is er, oma Spagaat?' Er staat een jongen op de stoep. Hij kijkt haar vragend aan.

'Jongen,' zegt oma Spagaat schor. 'Hoe heet je ook alweer…?'

'Robbie,' zegt de jongen. 'Robbie Wittebrood, uit de Goudvinkstraat.'

'Robbie…' Oma Spagaat kijkt weer naar het papier. 'Ik… Ze gaan… Ze willen… Nou já!'

Robbie blijft wachten. *Ik…? Ze gaan…? Ze willen…? Nou já…?*

'Wát willen ze?' vraagt hij. 'Wat gaan ze, bedoel ik.'

'Elke vijf minuten,' zegt ze. 'Élke víjf minúten!'

Robbie krijgt een beetje een ongemakkelijk gevoel. Het lijkt of oma Spagaat op haar oude dag opeens niet goed wijs is geworden. Dat heeft hij wel eens meer gehoord. Dat oude mensen zomaar helemaal in de war raken.

'Gaat het wel goed met u?' vraagt hij voorzichtig. 'Kan ik iets voor u doen?'

'Heel lief dat je het vraagt, jongen,' zegt ze verbeten. 'Maar het gaat prima met me. Het gaat zelfs zó goed, dat ik zin heb om de boel eens flink op stelten te zetten! Ik ga naar Mercedes Beng. Wat denken ze wel!' Ze staat zo plotseling op dat haar tuinstoel twee meter naar achteren schuift. Met het papier in de hand gaat ze Sjaak Spetter achterna, naar het huis van Mercedes Beng.

Robbie kijkt haar na en haalt dan zijn schouders op. Het komt elke dag wel voor dat er iemand heel erg opgewon-

den wordt in Goudkust. Vaak zelfs meer dan één iemand. Maar meestal gaat het nergens over en het is vaak ook snel weer voorbij.

Hij denkt aan zijn eigen probleem, dat is veel belangrijker. Toen hij het schoolplein af liep heeft hij zich voorgenomen om het vandaag aan zijn vader en moeder te vragen. Of hij op voetbal mag. Maar hij heeft er een hard hoofd in. Zijn vader is misschien nog over te halen, al vindt hij voetbal een domme sport. Maar zijn moeder is fanatiek antivoetbal. Allemaal slecht volk, zegt ze. Of het nou op het veld staat of ernaast: slecht volk.

Robbie schopt kwaad tegen een paaltje. Iedereen mag op voetbal, alleen hij weer niet natuurlijk. Zijn moeder is een gewoon mens, net als iedereen hier. Maar in haar hart zou ze het liefst in een kakwijk willen wonen. Waar iedereen op hockey zit en op skiles.

'Stom gedoe,' zegt hij hardop tegen niemand. 'Wacht maar tot ik profvoetballer ben.' Hij kijkt even om zich heen, of niemand hem heeft gehoord. Nee, de straat is leeg.

Als hij later stinkend rijk is geworden als voetballer piepen ze wel anders. Dan willen ze dat hij een boot voor ze koopt of een huis met een zwembad. Dan is voetbal opeens geen domme sport meer, nee nee. Nou, dan zullen ze nog eens lelijk op hun neus kijken.

Op de hoek van de Goudenregenstraat en het Morgenstondplein woont Mercedes Beng. En zo leeg als de straat is, zo vol is het in zijn voortuintje. Als Mercedes Beng er zelf in staat kan er al bijna niemand bij, zo breed is hij. Maar nu staat Sjaak Spetter er ook, en oma Spagaat.

'Actie!' schreeuwt Mercedes Beng kwaad. 'We laten ze alle hoeken zien!'

'En de plinten erbij!' roept oma Spagaat.

Sjaak Spetter tuft tegen de lantaarnpaal op de stoep. 'We zullen ze raken!' roept hij.

Robbie weet niet waar het over gaat, maar het klinkt spannend. Leuk, een beetje rellen. Daar zijn ze in Goudkust goed in. Hij grijnst en loopt door. Goudkust is een prima wijkje, altijd wat te beleven.

Elke vijf minuten een bus

 De kamerdeur wordt met zo'n harde knal dichtgeslagen dat een paar kleine stukjes kalk uit het plafond loslaten en omlaag dwarrelen op de vloer.

Robbie loopt stampend de trap op. Bij elke tree zegt hij keihard: 'Stóm!' Als hij boven is gaat hij zijn kamer in. Nog een knal. De plafonds hebben het hard te verduren vandaag.

'Stom,' zegt Robbie nog een keer als hij op zijn bed zit. Hij kijkt mismoedig naar de poster aan de muur tegenover hem. 'Alles is stom, en ma het meest.'

De spelers van het Nederlands elftal kijken hem vrolijk aan en zeggen niets. Hij zucht diep.

'Waardeloze sport,' heeft zijn moeder gezegd. 'Ik snap niet dat je die sukkels aan de muur hebt hangen.' Het viel nog mee dat ze niet heeft gezegd dat ze weg moesten. Zijn moeder vindt eigenlijk alle sport waardeloos en zonde van de tijd.

Robbie zucht nog een keer. Dat heeft hij weer, hoor: geboren in een gezin waar ze sport stom vinden. En zelf wil

10

hij maar één ding: lid worden van Goudkust United, de voetbalclub van de wijk. Ayoub zit erop, en Jeffrey. Zelfs Bertje, die slome duikelaar, die nog geen bal raakt, is lid van Goudkust United.

Buiten op het dak zit een duif te koeren. Van Sjarif waarschijnlijk, of anders van Mercedes Beng, de enige twee duivenhouders in de buurt.

'Hou je kop, duif!' schreeuwt Robbie uit het raam. 'Je bent nog stommer dan mijn moeder!' Hij pakt een stripboek en bladert erin. *Suske en Wiske*, ook al stom. Alles op de wereld is stom.

Er klinkt een fluitje van buiten. Robbie staat op en kijkt uit het raam. Jeffrey staat achter het huis in het steegje.

'Krantje maken?' vraagt hij.

Jeffrey, Natasja en Robbie hebben een geheim krantje. Het heet *Goudkoorts* en ze zetten er allemaal roddels in over dingen die in de wijk gebeuren. Niemand weet dat zíj dat maken.

'Néé!' roept Robbie kwaad.

'Dan niet,' zegt Jeffrey, een beetje beledigd, maar ook verbaasd. 'Dan ga ik wel naar Natasja.' Hij draait zich om en wil weglopen.

'Wacht,' zegt Robbie dan toch. 'Ik kom eraan.'

'Maar je zei nee.'

'Ik bedoelde natuurlijk ja.'

'O, natuurlijk. Ik begrijp het.' Jeffrey haalt zijn schouders op en blijft wachten, terwijl hij tegen het schuurtje leunt. 'Ben je een beetje in de war, jongen?' vraagt hij, als Robbie naar hem toe is gekomen.

'Ik ben niet in de war, ik ben kwaad,' zegt Robbie.

11

'Waarom?'

'Ik mag van mijn moeder niet op voetbal.'

'Meen je dat nou?'

'Ze vindt voetbal stom. Ze vindt alle sport stom, maar ze is het zelf: stom stom stom!'

Robbie begint zich weer op te winden.

Jeffrey zegt even niets, maar hij kijkt Robbie nadenkend aan. 'Heeft jouw moeder een geheim?' vraagt hij.

'Wat voor geheim?'

'Nou, iets wat niemand anders mag weten.'

Robbie denkt na. 'Weet ik veel,' zegt hij dan. 'Hoezo?'

'Nou kijk.' Jeffrey gaat rechtop staan. 'Je zou tegen haar kunnen zeggen dat je het niet verder vertelt als je op voetbal mag.'

'En anders?'

'En anders komt het in ons krantje.'

'Jòh!'

'Zeg je dat je contact hebt met degenen die *Goudkoorts* maken. En dat straks de hele buurt van haar geheim weet.'

Ze lopen door het steegje achter de huizen langs en Robbie sabbelt een beetje op het idee.

'Hm,' zegt hij dan. 'Daar moet ik misschien maar eens naar op zoek gaan. Goed idee, Jef.'

'Dank je wel,' zegt Jeffrey. 'Heb jij nog nieuwtjes?'

'Misschien. Ik kwam net langs het huis van Mercedes Beng en hij stond zich vreselijk kwaad te maken. Samen met Sjaak Spetter en oma Spagaat.'

'Waarover?'

'Dat weet ik niet. Maar het zou best eens iets heel belangrijks kunnen zijn. Ze stonden zich op te winden, niet normaal meer. Mercedes Beng riep iets over dat ze actie moesten voeren en Sjaak Spetter zei dat hij ze alle hoeken zou laten zien.

'Oké,' zegt Jeffrey. 'Goed genoeg. De journalisten van *Goudkoorts* gaan op onderzoek uit.'

Bij het huis van Mercedes Beng staan de mensen inmiddels op de stoep, omdat de voortuin te klein is.

Ti Ta Toontje, ofwel Toon Tobroek, staat tussen Bertus Bakkeveen en buurvouw Donkers in.

'Al die uitlaatgassen!' roept hij. 'Heel slecht voor mijn kabouters! Gaat de verf eraf!'

Ti Ta Toontje heeft zijn hele tuin vol tuinkabouters staan, beveiligd en wel. Het is een van de bezienswaardigheden van de buurt.

'En waar moet ik dan mijn auto's laten?' roept Sjaak Spetter. 'Ze gaan vast niet voor gratis parkeerplaatsen zorgen.'

Ayoub staat er ook, uit de klas van Robbie en Jeffrey. En Jennie en Tessa, buurmeisjes maar vooral hartsvriendinnen.

'Waar gaat het over?' vraagt Robbie.

'Er komt een nieuwe busbaan,' zegt Ayoub. 'Dwars door de wijk.'

'In welke straten dan?'

'Op de heenweg gaat hij door de Goudenregenstraat en op de terugweg door de Goudvinkstraat.'

'Of andersom,' zegt Jennie.

'En we krijgen eenrichtingsverkeer.'

'Echt waar?' Robbie kijkt Ayoub ongelovig aan.

'Elke vijf minuten een bus,' zegt Ayoub.

'Actie!' roept Sjaak Spetter achter hen. 'Naar het stadhuis, nu!'

Met grote stappen stormt hij de straat in, met meteen drie, vier man achter hem aan.

'Kom op,' zegt Jeffrey tegen Robbie. 'We gaan mee, leuk.'

'Robbie, thuiskomen!'

Robbie kijkt om. Zijn moeder staat aan de overkant. 'Je moet boodschappen doen,' roept ze.

'Aààh,' zegt Robbie. 'Kan dat straks niet?'

'Nee, dat kan niet straks. Dat moet nu.'

Teleurgesteld kijkt Robbie het joelende groepje mensen na, die op weg zijn naar het gemeenthuis.

Dat heeft híj weer...

Je zweet een beetje

'Wat was dat voor een geschreeuw op straat?'
'Ze gaan actievoeren,' zegt Robbie. 'Er komt een busbaan door de wijk.'
'O ja?' Robbies moeder haalt haar schouders op en gaat er niet op door. Ze vindt het waarschijnlijk niet belangrijk. Samen gaan ze de hoek om, het Morgenstondplein op. De supermarkt is aan de overkant. Het groepje actievoerders is uit het oog verdwenen. Jammer.
'Waarom ga je zelf niet even naar de supermarkt?' zegt Robbie. 'Je bent er nou toch.'
Stomme boodschappen. Net nu er spannende dingen gebeuren kan hij niet mee. Misschien gaan ze het stadhuis wel bestormen, of met stenen gooien.
De burgemeester gijzelen.
Het hele plan in de fik steken.
De televisie erbij halen.
Aààargh!
'Ik kan niet,' zegt Robbies moeder. 'Ik moet op visite.'
'Nu?'
'Nu meteen, ja. Niet zo zeuren. Hier is het briefje en geld.'

Robbie bromt wat onduidelijks, maar pakt het toch aan. Niets meer aan te doen, en de anderen zijn al een eind weg. Hij hoort het wel van Jeffrey.

Zijn moeder gaat haastig richting huis, en Robbie steekt het plein over.

Dus ze willen bussen door de wijk laten rijden, nou en? Hem kan het niet schelen. Beetje uitkijken bij het oversteken, meer niet. Verder verandert er niets.

Als hij de supermarkt binnenkomt, voelt hij een schokje bij zijn maag. Daar loopt Natasja, die ook boodschappen aan het doen is.

Het is al een tijdje zo: als hij haar ziet voelt hij zich opeens anders. Gek, dat was eerder nooit zo. Het is begonnen toen ze met *Goudkoorts* begonnen zijn. Jeffrey, Natasja en hij.

Hij weet zelf wel hoe het komt, zo gek is hij nou ook weer niet: hij is verliefd.

Verliefd, en wat nu?

'Hé, Robbie.'

'Hé, Natas.'

En wat nu, dus? Hij krijgt opeens een warm hoofd.

'Voel je je wel goed?'

'Ja… ehm… hoezo?'

'Je zweet een beetje.'

'Tja, warm hier, hè?'

'Warm? Ze hebben hier airco, hoor.'

Robbie pakt een mandje en loopt het eerste pad in, terwijl hij op zijn briefje kijkt. Twee pakken koffie en een doos filterzakjes.

'Moet je veel hebben?'

'Neuh, paar dingen.'

'Wat is er toch met je, Robbie?'

'Niks, niks.'

Pindakaas, chocoladehagelslag, aardbeienjam, honing.

'Heb je Jeffrey nog gezien?'

'Ja, die is naar het stadhuis.' Wordt hij nu opeens nog jaloers ook?

'Wat moet hij nou bij het stadhuis?'

'Hij gaat trouwen. Nee, geintje.'

'Zonder dollen, wat moet hij daar?'

'Ze zijn aan het protesteren. Sjaak Spetter is erheen, en Mercedes Beng en Ti Ta Toontje. De gemeente wil een busbaan in de wijk aanleggen.'

'Echt?'

'Echt. Iedereen heeft een brief gekregen.'

Waspoeder, keukenrollen, tandpasta. Natasja blijft bij hem lopen. Hij zucht. Waarom is het allemaal opeens zo moeilijk?

'Het helpt vast niet, protesteren,' zegt Natasja.

'Dat zou kunnen. Maar het is wel leuk. En we kunnen het in *Goudkoorts* zetten.'

'Ja, leuk. Moet je een zakdoekje?'

'Een zakdoekje, waarom?'

'Je zweet nog steeds. Je haar is helemaal nat.'

'Hoeft niet.' Robbie veegt met zijn mouw over zijn voorhoofd. Het lijkt wel of hij koorts heeft. Hij kijkt weer op zijn briefje. Shampoo voor zijn vader, antiroos, en dat was het.

'Ik heb het,' zegt hij opgelucht. 'Ik ben klaar.'

'Ik ben allang klaar.' Natasja loopt achter hem aan naar de kassa. 'Maar ik vind het gezelliger om samen met jou naar huis te lopen.'

Nu moet hij toch echt snel naar buiten. Hij voelt het zweet over zijn rug lopen. Hij moet het zeggen. Hij móét het gewoon tegen haar zeggen.

Als hij buiten is.

Als zijn hoofd weer droog is.

Als hij weer rustig kan ademhalen.

Gelukkig is het bij de kassa niet druk en opgelucht loopt hij de supermarkt uit. Samen met Natasja naar huis lopen, dat heeft hij al zo vaak gedaan. En nu is hij er opeens van in de war. Hij kijkt even snel opzij. Haar lange, blonde haar waait een beetje in de wind. Ze ziet er lief… Stik, bananen vergeten!

Maer jae, het blijft toch plebs, natuurlijk

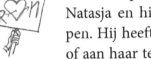 Ze heeft op hem gewacht!
Natasja en hij zijn samen naar huis gelopen. Hij heeft zo nu en dan opzij gekeken, of aan haar te zien was dat zij ook verliefd was op hem. Maar of ze is het niet, of ze kan heel goed toneelspelen. Lastig.

Hij ligt op zijn bed en denkt na. Als hij het tegen haar zegt en ze lacht hem uit, staat hij natuurlijk zwaar voor schut. Dat moet hij dus niet hebben. Maar ja, wat dan? Hoe kan hij het haar laten weten zonder dat hij het zegt, of het op de een of andere manier laat merken? Dat is zo goed als onmogelijk.

Hij hoort stemmen door het openstaande raam. Het geluid komt van achter het huis. De ene stem is van zijn moeder. Terug van visite, lekker belangrijk.

Maar dan spitst hij opeens zijn oren. Die andere stem, is dat nou…? Hij staat op en kijkt naar buiten. In het steegje achter staat zijn moeder, met haar rug naar hem toe. De andere stem komt van achter het schuurtje. Hij kan niet zien wie daar staat. Maar die stem kent hij toch?

19

Dat kakkerige, dat hoor je verder nergens in de buurt. 'Heel aerdig van u, dat u mijn uitnodiging hebt aengenomen. Het was knusjes.'

'Zegt u maar Dorrie, hoor.'

Ja, hoor. Het is de moeder van Jennie, de barones zelf. Getrouwd met een baron en uit armoede haar huis moeten verkopen. En nu woont ze hier, in het huis van Bolle Holle, die drie jaar op kosten van het rijk aan het logeren is. Tot haar grote verdriet, want ze vindt de buurt te min voor haar stand. Gek mens.

En nu is zijn moeder dus bij haar op de thee geweest. Typisch iets voor haar. In haar hart vindt ze dat zij ook te goed is voor een buurt als Goudkust. Maar dat houdt ze voor zich, anders heeft ze geen leven meer natuurlijk.

Ze is bij de barones op visite geweest!

Stiekem, achterom!

Zodat niemand het ziet!

Er komt een brede grijns op Robbies gezicht als hij opeens weet wat hij moet doen. Goed idee was dat. Jeffrey is een toffe gozer, hi ha ho!

Robbie Wittebrood gaat op voetbal, zeker weten!

'Eindelijk iemand die begrijpt hoe onwaerschijnlijk zwaer ik het heb, mevrouw Wittebrood.' De moeder van Jennie noemt Robbies moeder niet bij haar voornaam.

'Och, het is niets, hoor. Het is weer eens iets anders, een goed gesprek.'

'Jae, ziet u, ik begrijp de buurtbewoners niet. Het zijn ook mensen, absoluut. Maer jae, het blijft toch plebs, natuurlijk.'

'Wat u zegt. U hebt helemaal gelijk.'

Zijn moeder die de buurt verraadt, mooier kan haast niet. Robbie doet een stap terug van het raam, haalt een paar keer diep adem en gaat dan zijn kamer uit, de trap af, naar de keuken. Zijn moeder komt net binnen.

'Heb je de boodschappen?' vraagt ze.

'Ja, hoor. Was het gezellig op je visite?'

'Ja, best wel.' Ze kijkt hem verbaasd aan. Zo nieuwsgierig is hij anders nooit.

'Lekker gebabbeld?'

'Zeg, wat is er met jou?'

'Beetje over de buurt gepraat en zo?'

Nu wordt ze achterdochtig, ziet hij. En een beetje rood in haar gezicht.

'Wat is dat eigenlijk precies: plebs?' vraagt hij.

'Hè?' Nu schrikt ze echt. 'Ple… wat?'

'Daar had je het over met de moeder van Jennie.'

'Jennifer.'

'Niks Jennifer, gewoon Jennie. Die is tenminste niet zo'n kakker als haar moeder.'

'Nou nou, Robbie.'

'Het is toch zo. Ze vindt ons te min. En het lijkt wel of jij dat ook vindt.'

'Je hebt ons afgeluisterd!'

'Moet je maar zachter praten. De halve buurt kon het horen.'

'Denk je?' Angstig nu.

Robbie wacht even. 'Misschien valt het mee,' zegt hij dan. 'Maar kijk, ik ken toevallig degene die dat blaadje maakt. Je weet wel, de *Goudkoorts*.'

'Nee, Robbie, dat doe je niet! Je gaat het niet vertellen!

Dat doe je je moeder niet aan!'

Robbie aarzelt. Hij wil zo lang mogelijk van dit moment genieten, en doet net of hij diep nadenkt.

'Misschien niet,' zegt hij dan. 'Ik ga het vast en zeker niet vertellen als ik op voetbal mag.'

'Dat is chantage.'

'Klopt.'

'Schaam je je niet?'

'Helemaal niet, ík niet.'

Zijn moeder kijkt hem nog even aan. Het is gek, maar het lijkt net of ze, behalve dat ze kwaad is, ook bijna moet lachen.

'Toe dan maar,' zegt ze. 'Als je vader het goedvindt tenminste.'

Robbie grijnst. Zijn vader, dat is geen probleem. Hij is geen voetballiefhebber, helemaal niet zelfs, maar hij is lang niet zo anti als Robbies moeder.

'Afgesproken,' zegt Robbie. 'Ik weet hoe ik een geheim kan bewaren.'

Op dat moment horen ze geroep van buiten: de actievoerders zijn terug van het stadhuis.

Hier met die man!

Als Robbie de voordeur uit komt loopt hij tegen Sjaak Spetter op.

'Kijk uit waar je loopt, jochie,' zegt Sjaak kwaad. 'Ik ben net in de stemming om er eens flink op los te rossen.' Hij loopt met grote passen verder, gevolgd door Mercedes Beng, die eruitziet of hij op zoek is naar een auto om te verkreukelen. Oma Spagaat dribbelt er met kleine pasjes achteraan.

'We moeten een vergadering houden!' roept ze. 'Zo snel mogelijk! Zijn ze nou helemaal van de ratten besnuffeld!'

Er lopen nog een paar mensen bij, en helemaal achteraan ziet Robbie Jeffrey en Ayoub.

'Was het leuk?' vraagt Robbie, als ze bij hem zijn.

'Lachen, jongen!' Jeffrey wrijft de tranen uit zijn ogen. 'Ik dacht dat ik gek werd. Sjaak rende als een dolle de trappen van het stadhuis op.'

'Twee deftige vrouwen aan de kant geduwd,' zegt Ayoub.

'Twee, ja. Van die kakkers, weet je wel. Nou, die waren opeens niet deftig meer. Wat díé allemaal zeiden!'

'En binnen werden we tegengehouden door een soort politie.'

23

'En Sjaak maar roepen om de burgemeester. "Hier met die man!" riep hij.'

'En toen? Kwam de burgemeester?'

'Nee, die was er niet. Zei die man tenminste. Die zit in het buitenland.'

'Sjaak wérd toch kwaad,' zegt Ayoub. '"De burgemeester in het buitenland?" riep hij. "Hij hoort hier! Daar wordt hij voor betaald!"'

Robbie kijkt Sjaak en de anderen na als ze de hoek om gaan. Je moet Sjaak Spetter wel te vriend houden. Als díé kwaad wordt, berg je dan maar.

'Er kwamen allemaal mensen op af,' zegt Jeffrey. 'De hele hal stond vol. Er kwam een andere man, die zei dat we weg moesten, omdat hij anders de politie zou bellen.'

'En toen?'

'Oma Spagaat zei tegen Sjaak dat ze dan maar moesten gaan, om er nog meer mensen bij te halen. Dat ze een vergadering moesten houden.'

'En gingen jullie weg?'

'Ja. Sjaak riep nog dat hij terug zou komen. Met de hele buurt erbij. En dat hij de burgemeester wel eens... Wat zei hij ook alweer, Jeffrey?'

'Hij zei...' Jeffrey schiet in de lach. 'Hij zei dat hij de burgemeester wel eens een rondje zou laten lopen, met heel Goudkust achter hem aan. Een rondje laten lopen, lachen man! Jammer dat je er niet bij was.'

'Niks aan te doen, hè? Maar ik heb wel een nieuwtje: ik mag op voetbal.'

'Echt waar?'

'Ja, je plannetje is gelukt.'

'Wat was nou het geheim?'
'Ja, dat ga ik natuurlijk niet vertellen, slimmerd. Dat heb ik beloofd.'
'Ik moet naar huis,' zegt Ayoub. 'Zie je.'
'Later.'
Jeffrey pakt Robbie bij zijn arm. 'We gaan een *Goudkoorts* maken. Nu.'
'Goed,' zegt Robbie ijverig. 'Ik haal Natasja.'

De loods van Natasja's opa is de plek waar ze het krantje maken. Natasja typt hem uit op een oude typemachine en dan drukken ze de krant af op een stencilmachine, die daar al jaren staat. Het is ouderwets natuurlijk, maar het is wel zo spannend. Er is alleen één probleem: ze zijn aan de laatste tube inkt toe. Als die op is kunnen ze niet verder.
'Die zijn nergens meer te krijgen,' zegt Natasja's opa. 'Jullie zullen iets anders moeten bedenken.'
'Computer,' zegt Robbie.
Jammer, een computer is veel te gewoon. Maar ja, op is op. Niets aan te doen.
'Maar deze kan nog wel,' zegt Jeffrey. 'Wat komt erin?'
Zo begint de vergadering van de redactie van *Goudkoorts*, en die avond wordt de buurt weer verrast met een nieuwe aflevering. De blaadjes liggen overal. Bij sommige mensen zijn ze door de brievenbus gegooid, bij anderen liggen ze in de heg. Of ze komen opeens over de schutting het achtertuintje in vliegen. En als iemand dan gaat kijken wie dat heeft gedaan, is er niemand meer te zien. Het is en blijft een mysterie.

Goudkoorts deel 12

DE BUSBAAN

De gemeenste heeft beacht dat er een buslijn door
de wijk komt. Dat vindt niemsnd leuk.
Sjaak speter gaat actie voeren. Hij gaat de hurge-
meester een rondje laten loppen met de goudksut
qchter hem aan.
En er komt een vergaderong.
Komt allen!

VOETBAL

De voetbalcluh goudkust united heeft de wedsrrijd
verloren van Rvierenwijk. Het is
2-0 geworden.
De treener heeft op zijn kop gekreegen van oma
spaagaat.
Ze gaat zich ermee bemoeien heeft ze gesegd.
Nou dan zal het alemaal wel goed gaan in het vervolg.
De treener zegt dat hij geen comentaar geeft

RUZIE IN DE BLADGOUDSTRAAT

De bal van pietje Damen is lek gebeten door de
hond van mevrouw Slabberkoorn.
Pietje zijn vader wil dat ze een nieuwe bal betalt.
Maar mevrouw Slabbeloorn zegt dat zei het niet
heeft gedaan.

Dus nu moet de hond het zelf betallen .
Van zijn zakfeld.
Zegt mevrowu Slabberkoorn.

VERLIEFD

Juf Moniek heeft een vriend.
Ze zijn gesinjaleerd in de stad.
Het zou ook eens tijd worden.

Dit was het mensen
Tot de volgende ker

Ze poorten je waar je bij staat

Het is woensdagmiddag en het is druk bij oma Spagaat thuis. Dat komt doordat ze een zwembad in de tuin heeft. De bewoners van de Goudenregenstraat hebben veel geld gewonnen bij de Straatnamenloterij, en oma Spagaat heeft daarvan een zwembad laten bouwen, met een glijbaan vanuit het raam van de badkamer op de eerste verdieping.

'Voor mezelf natuurlijk,' zegt ze. 'Lichaamsbeweging is belangrijk, dat zie je aan mij. Bijna tachtig en nog zo fit als een hoentje.'

Maar het is ook voor de kinderen van de buurt bedoeld. Die mogen gratis bij haar komen zwemmen. Ook uit andere straten.

Robbie gaat ook even zwemmen, met Ayoub. De voordeur van het huis van oma Spagaat staat op een kier, anders moet ze elke keer opendoen. Bang voor inbrekers is ze niet.

'Ik heb alles uitgegeven aan het zwembad,' zegt ze. 'En probeer dat maar eens te stelen, als inbreker zijnde.'

28

Robbie en Ayoub weten de weg. Ze gaan de trap op, want oma Spagaat heeft de logeerkamer laten verbouwen tot twee kleedkamertjes. Een voor de jongens en een voor de meisjes.

'We houden het netjes in Oma Spagaats Zwemparadijs,' is haar motto.

Als ze halverwege de trap zijn horen ze stemmen. Robbie krijgt meteen weer een rood hoofd: Natasja is er ook, met Tessa en Amba.

'Tjonge, wat is het warm hier,' zegt hij, als hij boven is.

'Ja, hè?' zegt Natasja. 'Het lijkt de supermarkt wel.' Met zo'n lachje, waardoor hij alleen nog maar roder wordt.

'Kom.' Ayoub trekt Robbie aan zijn arm. Ze gaan de jongenskleedkamer in. Door de dichte deur horen ze gegiechel.

'Meiden,' zegt Ayoub. 'Aanstelsters.'

'Zeg dat wel.' Robbie veegt het zweet van zijn voorhoofd.

Het wordt een leuk uurtje. Van de glijbaan af, langs de ladder die oma Spagaat aan de muur heeft laten bevestigen naar boven, en weer van de glijbaan af. En dat een heleboel keer achter elkaar. Tussendoor de meiden onderduwen (Natasja maar heel eventjes) en een ijsje kopen uit de diepvrieskist in de keuken.

Oma Spagaat houdt in de gaten of alles goed gaat en zo nu en dan gaat ze ook even van de glijbaan.

Maar ten slotte zegt Ayoub: 'Kom op, Robbie. We moeten weg, anders kom je te laat op je eerste training.'

Ja, het is erdoor: Robbie wordt lid van Goudkust United. Zijn vader vond het allemaal best.

'Als ik maar niet hoef te komen kijken,' zei hij.

Wacht maar tot ze horen dat hij echt goed is. Dan komen ze vast wel. Robbie ziet het al helemaal voor zich: op een dag komt er een scout van een profclub, die heeft gehoord dat er bij Goudkust United een jeugdtalent rondloopt. En als hij dan met een contract komt aanzetten moet hij natuurlijk toestemming vragen aan Robbies ouders. Die zullen nog raar staan te kijken als ze zien wat hij gaat verdienen als profvoetballer.

Maar als hij een uurtje later met Ayoub en Jeffrey naar de sportvelden loopt is hij toch een beetje zenuwachtig. Hij heeft natuurlijk wel eens een balletje getrapt, op straat of op het schoolplein, maar nu wordt het menens.

Hij wil heel erg graag zijn best doen, maar de anderen zijn misschien veel beter dan hij.

'Ik zal aan de trainer vragen of je bij ons in het elftal kunt,' zegt Jeffrey. 'De D2.'

'En anders?'

'Als je heel goed bent kom je in de D1. Maar ik denk niet dat dat zo is. Vind je het erg dat ik het zeg?'

Nee, dat vindt Robbie niet erg. Hij moet het allemaal nog maar zien, en Jeffrey zit zelf ook niet in de D1, dus die is ook niet heel goed.

'En anders?' vraagt hij weer.

'En anders ga je naar de D3 of de D4.'

Nou, hij hoopt toch echt dat hij bij Jeffrey en Ayoub mag voetballen. Dat is in elk geval vertrouwd.

Er loopt een heel stel jongens rond bij de kleedkamers, en ook een paar meisjes.

'Doen die meiden ook met ons mee?' fluistert Robbie.

'Ja, er zijn er niet genoeg voor een heel elftal.'
'Kunnen ze het dan wel?'
'Moet jij maar eens opletten.' Jeffrey lacht. 'Ze poorten je waar je bij staat.'
'Ja, Marcia, vorige week,' zegt Ayoub. 'Bij mij, dat ook nog.'
In de kleedkamer zegt Robbie niets meer. Behalve Jeffrey en Ayoub kent hij niemand, hoogstens een paar van gezicht. Die zijn van een andere school, uit een andere wijk misschien wel. De Betonbuurt of Sterrenwijk.
Ze schreeuwen naar elkaar, pakken een voetbalbroek en gooien die naar elkaar toe, terwijl de eigenaar er in zijn onderbroek achteraan rent. Iedereen heeft lol.

Robbie heeft nog geen voetbalschoenen, die moet hij nog kopen. Maar hij ziet dat sommige andere jongens ook op gewone sportschoenen gaan trainen. Dat valt alweer mee.

Hij zit in een hoekje en zegt niets meer, zelfs niet zachtjes, ook niet als ze na een tijdje naar buiten gaan. Er liggen een paar ballen en iedereen rent er op het veld achteraan.

'Kom mee naar de trainer.' Jeffrey geeft Robbie een duwtje. Daar loopt Wim Vis. Die kent hij tenminste, die woont achter hem, in de Goudenregenstraat. Hij loopt met een stapeltje oranje pylonnetjes naar het veld.

'Trainer!' roept Jeffrey. 'Hier is een nieuwe!'

De man draait zich om en komt naar hen toe. 'Kijk eens aan,' zegt hij. 'Als dat Robbie Wittebrood niet is.'

'Mag hij bij ons in de D2?' vraagt Jeffrey.

'Nou, dat zullen we eerst moeten…' Wim maakt zijn zin niet af, want hij wordt geroepen.

'Hé, trainer!' klinkt een stem van de zijkant van het veld. 'Laat je ze wel eerst een paar rondjes lopen? Voor de conditie?'

Robbie kijkt. Hij kent die stem.

'Nee, hè?' Wim kreunt en houdt zijn hand voor zijn ogen. 'Niet zij weer.'

Op het bankje achter het hek zit oma Spagaat, met haar armen over elkaar.

'Ze zit hier wel vaker,' zegt Jeffrey tegen Robbie. 'En dan bemoeit ze zich overal mee.'

'Nou?' roept oma Spagaat. 'Komt er nog wat van?'

'Ja,' zegt Wim met een zucht. 'Twee rondjes, jongens. Dat was ik zelf ook al van plan.'

Nee, als ik straks onder een bus lig, weet je het dan?

'Ik zit in de D2.'
Robbie zegt het met trots in zijn stem. Ze zitten in de kring en het onderwerp is: belangrijk nieuws.

'Gefeliciteerd,' zegt juf Moniek.
'Vind je dát belangrijk?' vraagt Tessa. 'Als je nou kampioen van Nederland was…'
'Dat komt nog wel,' zegt Robbie. 'Let jij maar eens op.'
'Heb jij belangrijk nieuws, Tessa?' vraagt juf Moniek.
Tessa hoeft er niet over na te denken. 'De busbaan.'
'O ja, daar heb ik van gehoord.' Juf Moniek woont niet in Goudkust, maar aan de andere kant van de stad. 'Gaat dat door?'
'De hele buurt is tegen,' zegt Amba. 'Staat in *Goudkoorts*.'
'Ah, het beroemde krantje is weer uitgekomen,' zegt juf Moniek. 'Heeft iemand er toevallig eentje bij zich?'
Er gaan drie vingers omhoog, en Jennie pakt een blaadje uit haar tas. Het is altijd leuk als er een *Goudkoorts* uitkomt. Het is door kinderen gemaakt, denkt bijna iedereen. Vanwege de taalfouten die erin staan. Er staat maar

zo nu en dan een woord in dat goed gespeld is, maar iedereen begrijpt wat er staat. En toch weet niemand wíé het heeft gemaakt. Dat is nog steeds een groot geheim.

Juf Moniek leest wat er op het blaadje staat, en ze moet erg lachen.

'Dat is een heel nieuw soort Nederlands wat ik elke keer in *Goudkoorts* tegenkom,' zegt ze. 'Heel apart.' Ze kijkt heel even de kring rond, en het lijkt wel of ze extra naar Jeffrey kijkt, maar het kan zijn dat Robbie zich vergist. Ze leest verder.

'Hé, hé,' zegt ze dan opeens. 'Wat is dit?'

Ze heeft natuurlijk gelezen over haar nieuwe vriend, onder aan het blaadje.

'Is het zo, juf?' vraagt Tessa. Ze heeft meteen door wat juf Moniek bedoelt. 'Hébt u een vriend?'

'Dat gaat niemand iets aan,' zegt ze met een rood hoofd.

'Warm hè, juf?' zegt Natasja. 'Het is de laatste tijd overal heel warm, zo gek.' Ze kijkt even naar Robbie. Ja hoor: een hoofd als een tomaat.

'We hadden het over die busbaan,' zegt juf Moniek haastig. 'Komt die er nou of niet?'

'Morgenavond is er een vergadering in buurthuis Het Schateiland,' zegt iemand.

'Sjaak Spetter heeft het georganiseerd,' zegt een ander. En dan praten ze een tijdje allemaal door elkaar heen.

'Ze gaan actievoeren.'

'Een demonstratie met spandoeken.'

'En de burgemeester wordt gegijzeld.'

'Dus jij komt in de D2.' (Bertje, jaloers. Hij speelt in de D4.)

'Mercedes Beng wil de straat openbreken, zegt-ie.'

'Oma Spagaat gaat midden op straat zitten.'

'Ik ga na schooltijd nieuwe voetbalschoenen kopen.' (Robbie, trots.)

'Ze zeggen dat Robbie op jou is.' (Chantal.)

'Heeft-ie niks van gezegd.' (Natasja.)

'Heel Goudkust komt in opstand.'

En dan vindt juf Moniek het wel weer genoeg. Ze klapt in haar handen. 'Ja, stop maar!' roept ze dwars door alles heen. 'Eén tegelijk!' Langzaamaan wordt het stil. 'Nog meer belangrijk nieuws?' vraagt ze.

'Er komen misschien nieuwe verkiezingen.'

'Hè?' Ze zeggen het met zijn dertigen ongeveer tegelijk, terwijl ze verbaasd naar Erwin kijken.

'Heb ik gehoord,' zegt hij, terwijl hij zijn schouders ophaalt.

'Lekker belangrijk, zeg.' Tessa snuift. 'We hebben wel wat anders aan ons hoofd.'

Zo is het, denkt Robbie, terwijl hij zo onopvallend mogelijk naar Natasja kijkt.

En de rest knikt ook. Wat kan er buiten Goudkust nou voor belangrijks gebeuren?

's Avonds loopt het storm bij buurthuis Het Schateiland. Het nieuws van de protestvergadering is als een razende storm door de buurt gegaan. Natuurlijk zijn bijna alle bewoners van de Goudvinkstraat en de Goudenregenstraat er, omdat daar de bussen doorheen komen. De mensen uit de andere straten komen vooral omdat ze wel zin hebben in wat opwinding. Misschien komt er zelfs wel een relletje van. Altijd leuk.

Robbie is er ook, net als Natasja, Tessa, Amba en nog een paar kinderen uit de buurt. Robbies moeder wilde eerst niet dat Robbie erheen ging.

'Dat wordt natuurlijk een heel onfatsoenlijke toestand,' had ze gezegd. 'Met een hoop geschreeuw en zo.'

'Wil jij dan elke vijf minuten een bus voor onze deur langs?' had Robbie gezegd.

'Nou, wel handig, een bushalte vlakbij.'

'Denk nou eens na, ma! Het wordt heel gevaarlijk op straat. Juist voor de kinderen.'

Eerlijk gezegd was Robbie daar niet zo bang voor. En die bussen, ach, het was weer eens iets anders. Maar een avondje joelen met een boze Sjaak Spetter erbij, dat werd lachen. Zeker weten.

'Hij heeft gelijk, Dorrie,' Robbies vader was hem te hulp gekomen. 'Heel goed als kinderen voor hun belangen opkomen.'

'Nou, ik weet niet hoor….' Ze aarzelde nog.

'Nee, als ik straks onder een bus lig, weet je het dan?'

'Hè, Robbie, hou op,' had ze huiverend gezegd.

'Nou?'

'Toe dan maar.'

En nu staat hij met de anderen achter in het zaaltje waar de vergadering wordt gehouden. Het is behoorlijk lawaaierig, en links en rechts vliegen de kreten door de lucht. Het belooft een dolle avond te worden.

De meerderheid beslist,
zo democratisch als wat

'Koppen dicht!'
Sjaak Spetter staat op een klein podium en probeert de mensen in het zaaltje stil te krijgen. Dat valt niet mee. Iedereen is nogal opgewonden en er is bier.

'Heb jij wel eens bier gedronken?' vraagt Robbie aan Jeffrey.

'Echt niet. Mijn moeder doet me wat als ze het ziet. Jij?'

'Nee, ook niet.'

Het is niet voor de eerste keer dat ze merken dat mensen steeds harder gaan joelen als ze veel bier drinken. Wel lachen.

'Koppen dicht, zei ik!' Sjaak slaat met een hamer op de tafel naast hem. Het wordt rustiger.

'Als iedereen door elkaar blijft praten, komt er niks van terecht!' Kledder.

'Je bent niet op straat, Sjaak,' zegt oma Spagaat, die op een stoel naast hem zit. 'Hou je fatsoen, met je getuf.'

'Sorry,' zegt Sjaak. 'Macht der gewoonte.' Als het helemaal stil is geworden, gaat hij ook zitten. 'Oké, mensen.

We zijn hier om plannen te maken tegen de busbaan.' Hij kijkt het zaaltje rond. 'Of zijn er soms mensen die vóór de busbaan zijn?'

De mensen reageren met een honend gelach, maar dan wordt het opeens even stil. Er gaan twee vingers omhoog, ergens halverwege de zaal, bij het gangpad.

'Wat is dat?' vraagt Sjaak verbluft. 'Een vergissing?'

'Nee, nee.' Een man staat op. Het is Koos Bartels uit de Goudenregenstraat. De vinger naast hem is die van Marja, zijn vrouw. 'Het is zeker geen vergissing. Wij zijn vóór. Het is toch juist goed als onze buurt gebruik kan maken van het openbaar vervoer?'

'Openbaar vervoer?' roept Bertus Bakkeveen uit de Goudvinkstraat. 'Daar hebben wij toch helemaal geen behoefte aan, man!'

'Hoe meer mensen gebruikmaken van het openbaar vervoer, hoe minder auto's er rijden. Dat is goed voor het milieu.' Koos Bartels houdt vol.

'Dat moet jij nodig zeggen.' Oma Spagaat gaat zich ermee bemoeien. 'Met die rottige bromfietsjes van je.'

Koos Bartels knutselt aan bromfietsen. Hij boort de cilinder uit, als iemand hem dat vraagt, prutst wat aan de uitlaat, en meer van dat soort dingen. Het proefdraaien is in heel Goudkust te horen. Ze noemen hem Koos Knalpot.

'Beste Koos,' zegt Sjaak Spetter op verdacht vriendelijke toon. 'Ik weet niet uit wat voor milieu jij komt, maar met dat van mij is niks mis.'

'Dat bedoel ik niet,' zegt Koos Knalpot. 'Ik bedoel...'

'Het gaat er niet om wat jíj bedoelt. Het gaat erom wat wíj bedoelen.'

'Dat is niet democratisch.'

'Hoezo niet? De meerderheid beslist, zo democratisch als wat.'

Koos wil nog wat zeggen, maar zijn vrouw Marja stoot hem aan.

'Kijk eens naast je,' sist ze.

Koos kijkt opzij. Daar staat Mercedes Beng, met al zijn honderdtwintig kilo's. Hij heeft zijn armen over elkaar, terwijl hij op zijn tenen op en neer wipt. Hij kijkt grijnzend op Koos Knalpot neer.

'Was je nou voor of tegen, Koos?' vraagt Sjaak Spetter.

'Voor,' zegt Koos Knalpot haastig. 'Voor natuurlijk. Het was maar een geintje.' Het zweet breekt hem uit.

De zaal barst los in een daverend applaus. Achterin hebben Robbie, Natasja, Jeffrey en de anderen de grootste lol.

'In *Goudkoorts*,' fluistert Jeffrey.

'Ja, mensen,' zegt Sjaak Spetter met veel drama in zijn stem. 'De hoge heren hebben weer iets bedacht om onze wijk te pesten. Maar laten wij dat toe?'

'Nee!'

'We pikken het niet!'

'Laat ze de Spaanse griep krijgen!'

'We grijpen ze, die mafkezen!'

'Opstand!'

'Oorlog!'

Sjaak slaat als een bezetene met zijn hamer op de tafel, terwijl hij woest de zaal in kijkt.

'Laat me uitpraten,' zegt hij kwaad, als het weer stil is.

'Maar je vroeg toch wat?' zegt Bertus Bakkeveen. 'Als je geen antwoord wilt hebben, moet je het zeggen.'

Lachen.

'Jullie hebben gelezen wat ze willen.' Sjaak neemt met veel moeite de leiding weer in handen. 'Een busbaan door de Goudvinkstraat en een busbaan door de Goudenregenstraat. In allebei de straten eenrichtingsverkeer. Een busstation op het Morgenstondplein. En dan bijna het allerergste: onze auto's moeten de straat uit en naar een parkeerterrein aan de rand van de wijk.'

Kreten van verontwaardiging vliegen over en weer.

'Onze auto's?'

'Ik kan niet slapen als mijn Beauty niet voor de deur staat!'

'Criminelen zijn het!'

'Maar daar staan ze juist veilig!' (Koos Knalpot.)

'Moet je een ram?' (Mercedes Beng.)

'Red onze wagentjes!'

Sjaak hamert en schudt vertwijfeld zijn hoofd.

'Dat schiet lekker op,' zegt Robbie achter in het zaaltje.

'Als het zo doorgaat zijn we vannacht om twaalf uur nog niet klaar.'

Over dat eenrichtingsverkeer maakt niemand zich echt druk. In de Goudenregenstraat is al eenrichtingsverkeer. Hebben ze zelf geregeld, omdat bijna iedereen daar twee auto's heeft, van de prijs van de Straatnamenloterij.

En dan geeft Sjaak Spetter zo'n harde brul dat de ramen trillen. Het is meteen stil.

'De laatste waarschuwing,' zegt hij dreigend. 'Als ik nog één keer word onderbroken, gaat de biertap dicht.'

Dat moeten ze niet hebben en ze houden allemaal wijselijk hun mond. Kees Kwekkeboom, de vader van Jeffrey, steekt zelfs netjes zijn vinger op.

'Zeg het maar, Kees.' Sjaak Spetter heeft het zweet op zijn voorhoofd staan en hij hijgt een beetje.

'Waar komt die parkeerplaats precies?'

'Weet ik veel? Misschien op dat braakliggende terrein met die schuttingen eromheen.'

Sjaak zegt het precies op het moment dat Robbie opzij kijkt naar de anderen. Hij ziet tot zijn verbazing dat Tessa er erg van schrikt. Ze knijpt Amba in haar arm. Die wordt helemaal bleek, voor zover dat kan bij iemand die van de Antillen komt.

Dat snapt Robbie niet. Waarom schrikken ze daar nou zo van?

Ik ben ook allergisch

 Als de school uit is, loopt Robbie in zijn eentje over het schoolplein. Natasja is al weg (opa is jarig, visite, niks aan), Jeffrey en Ayoub hebben klassendienst en Robbie heeft geen zin om te wachten.

Hij is een beetje zenuwachtig. Morgen speelt hij zijn eerste wedstrijd in de D2 van Goudkust United, en Natasja heeft gezegd dat ze misschien komt kijken. Hij weet niet helemaal zeker of ze net zo op hem is als hij op haar. Soms doet ze heel gewoon tegen hem, maar dan heeft ze weer dat lachje als ze hem aankijkt (terwijl hij dan meteen weer een rooie kop krijgt). Maar stel dat ze er is, en hij scoort bijvoorbeeld, dat zou wel kicken zijn.

Vanavond is het koopavond en hij gaat met zijn vader voetbalschoenen kopen. Zijn moeder gaat niet mee. 'Er zijn tenslotte grenzen,' heeft ze gezegd.

Een clubshirt heeft hij nog niet, maar dat mag hij zolang lenen.

Hij oefent op de stoep een paar schijnbewegingen, vooral de schaar. Die is lastig. Hij fluit een onduidelijk wijsje, en haalt dan met zijn rechterbeen vernietigend uit. Als een streep gaat de bal naar de linkerbovenhoek.

'Yes!' Hij steekt een gebalde vuist in de lucht en rent een stukje.

'Ga je lekker, Huntelaar?' Een man haalt hem in op de fiets en kijkt lachend achterom. Nog een reden om een rood hoofd te krijgen.

Hij steekt zijn handen in zijn zakken. Straks op het plaatsje achter het huis nog maar even oefenen. En dan met een bal.

Dan ziet hij Tessa, Jennie, Amba en Ayoub voor hem uit lopen.

Ayoub?

Die had toch klassendienst?

Is hij nu al klaar?

Robbie zet een looppasje in om hen in te halen, maar hij bedenkt zich. Ze zijn druk in gesprek, met de hoofden dicht bij elkaar. Het ziet eruit of ze iets heel belangrijks bespreken, iets geheims misschien. Iets in hem, hij weet niet precies wat, zegt dat hij hen even met rust moet laten. Maar wel in de gaten houden. Spannend.

Hij gaat een beetje gebukt lopen en duikt zo nu en dan weg achter een auto. De vier voor hem kijken opvallend vaak om zich heen, of over hun schouder. Alsof ze niet willen dat ze worden gevolgd. Alsof ze iets gaan doen wat niemand mag weten.

Hij voelt zich een journalist die op het punt staat iets heel belangrijks te ontdekken. Zullen ze gek opkijken als ze opeens in *Goudkoorts* staan. Al moet hij natuurlijk eerst wel ontdekken wát ze gaan doen.

Het groepje steekt het Morgenstondplein over en gaat de Goudmijnstraat in. Robbie volgt hen op zo'n honderd meter. Nu moet hij het plein ook oversteken, maar hij kan zich nergens verstoppen. Hij trekt een sprintje, maar net als hij aan de overkant is, kijkt Ayoub weer om.

Zonder na te denken glipt Robbie bij snackbar Het Goudmijntje naar binnen. Hijgend blijft hij bij de deur staan en gluurt om het hoekje. Ze hebben hem niet gezien, want ze lopen gewoon door.

'Zeg het maar, jochie.' Achter de vitrine met kroketten, frikadellen, berenklauwen, mexicano's en andere smakelijke hapjes staat Fred Karbouw, groot en breed.

'O, ik eh… ik hoef niks.'

'Waarom kom je dan binnen, vriend?'

'Eh… even schuilen.'

'Schuilen.' Fred Karbouw kijkt naar buiten. 'Voor de zon?'

'Ja, ik eh… ben allergisch. Nou, ik ga maar weer eens.'

Robbie kijkt nog eens om het hoekje. Ze zijn doorgelopen. Hij ziet hen in de verte de hoek om gaan.

'Dag!' Hij gaat de snackbar uit.

'Ik ben ook allergisch!' roept Fred Karbouw hem na. 'Voor jongetjes die uit hun nek kletsen!'

Robbie is al weg. Hij loopt snel naar het eind van de straat. Daar staat hij stil voor hij om de hoek kijkt. Dit is echt spannend. Hij zou eigenlijk een hoed en een zonnebril moeten hebben.

Hij ziet niemand meer. Ze zijn alweer een hoek om natuurlijk. Maar welke?

Haastig loopt hij de straat door. Aan het eind ervan houdt de wijk Goudkust in feite op. Het enige wat er nog is, aan de andere kant van de straat, is een stuk grond waar vroeger huizen hebben gestaan, maar die zijn afgebroken. De bewoners hadden het te bont gemaakt met wiet telen en met andere dingen die niet door de beugel konden. (Het 'Crimiwijkje', volgens de bewoners van Goudkust. Omdat ze zelf zo braaf zijn natuurlijk.)

De gemeente heeft hen uit hun huis gezet en het hele blok af laten breken. Schutting eromheen, klaar. Er zouden ooit nieuwe huizen komen, maar dat gebeurt helemaal niet. Er staan alleen nog bomen.

Op de schutting hangen borden met LEVENSGEVAARLIJK erop, en STERK VERONTREINIGDE BODEM. Er zijn zelfs doodshoofden op geschilderd.

Robbie kijkt ernaar als hij erlangs loopt. Het ziet er maar treurig uit, en hij komt hier eigenlijk nooit. Amba, Ayoub, Tessa en Jennie zijn nergens te zien. Het lijkt alsof ze plotseling de planeet Aarde voor even hebben verlaten.

Robbie kijkt besluiteloos om zich heen, als hij opeens een paard hoort hinniken.

Een paard?

Hier?

Hij heeft het zich waarschijnlijk verbeeld. De enige gelegenheid dat er wel eens een paard in Goudkust verschijnt, zit er een agent op. Dan zijn er weer eens problemen in de wijk.

Hij haalt zijn schouders op en loopt door. Niemand meer te zien, en hij besluit om die vier in het vervolg goed in de gaten te houden.

Hij kijkt weer naar de schutting aan de overkant. Tessa was nogal geschrokken toen Sjaak Spetter zei dat hier misschien een parkeerplaats kwam. Waarom? Wat heeft zij met deze troep te maken?

En dan komt er, een eindje voor hem uit, met een grote boog een bal over de schutting vliegen. Hij stuitert over straat, rolt naar de stoeprand en blijft daar in de goot liggen.

Een bal met witte en zwarte vijfhoekjes.

Robbie kijkt er stomverbaasd naar.

Een vóétballend paard?

Nou moet het niet gekker worden.

Hij loopt naar de bal toe. Eerst wil hij hem terugschop-

pen, maar hij bedenkt zich. De bal ligt stil in de goot en hij gaat ernaast zitten, op de stoeprand. Er zal vast wel iemand komen.

En ja, na een minuutje komt Ayoub tevoorschijn. Hij kijkt behoedzaam om zich heen en schrikt als hij Robbie naast de bal ziet zitten. Aarzelend loopt hij erheen. Het is duidelijk aan hem te zien dat hij heel hard nadenkt over wat hij moet zeggen.

'Hé, Robbie,' zegt hij.

'Ayoub.' Robbie tilt één vinger een stukje op.

Ayoub gaat naast hem zitten, aan de andere kant van de bal.

'Was je aan het voetballen?' vraagt Robbie.

'Ja, eh… ja.'

'Heb je ergens een veldje of zo?'

'Ja, daar ergens.' Ayoub maakt een vaag gebaar.

'Met wie was je dan aan het voetballen?'

'O, met niemand.'

'Met een paard, toch?'

'Hè?' Ayoub schrikt nog meer.

'Ayoub, luister nou. Eerst hoor ik een paard hinniken en daarna komt er een bal over de schutting.'

Ayoub zegt niets.

'En dan kom jij.'

Ayoub plukt een beetje aan zijn schoenveter en zwijgt.

Tjonge jonge

 'Ayoub, waar blijf je nou!'
Kijk nou, daar heb je Tessa ook. Ze schrikt
al net zo als Ayoub.
'Ha, Robbie,' zegt ze zo gewoon mogelijk.
'Zit je hier al lang?'
'Ik zit hier net. Ik was jullie kwijt.'
'Kwijt?'
'Ja, ik liep achter jullie aan. Jullie deden zo geheimzinnig.
Steeds om je heen kijken en zo. Daar is iets aan de hand,
dacht ik.'
'Maar we hebben je helemaal niet gezien.'
'Nee, goed hè?' Robbie trekt een voldaan gezicht. 'En
trouwens, gisteren deden jullie ook al zo raar opeens. In
het buurthuis, toen ze het over die parkeerplaats hadden.'
'En nu ben je nieuwsgierig,' zegt Tessa.
'Best wel.'
Ayoub en Tessa kijken elkaar aan. Ayoub trekt vragend
zijn wenkbrauwen op, en Tessa zucht. Dan knikt ze.
'Vooruit dan maar,' zegt ze. 'Blijf maar even zitten, Robbie. Kom mee, Ayoub.'

'Wat gaan jullie doen?'

'We komen zo terug.' Tessa trekt Ayoub aan zijn arm en samen verdwijnen ze, de hoek om.

Robbie kijkt hen na, zijn gezicht één groot vraagteken. Waar waren die nou vandaan gekomen? Van achter die schutting? Maar daar is het gevaarlijk, het staat op de borden. Levensgevaarlijk zelfs.

Hij pakt de bal en probeert een paar oefeningetjes.

Hooghouden.

De schaar.

Hakballetje.

Dan gaat hij weer zitten. De tijd verstrijkt en er gebeurt niets. Soms denkt hij stemmen te horen van achter de schutting. Het paard hoort hij niet meer.

En dan is Tessa er ineens weer.

'Kom maar mee,' zegt ze, op een toon alsof ze Robbie naar de gevangenis moet begeleiden.

'Waarheen?'

'Zul je wel zien.'

Ze gaan langs de schutting de hoek om. Een slordig geschilderd doodshoofd grijnst, en weer hoort Robbie stemmen. Hij kijkt opzij naar Tessa, maar die zegt niets. Ze lopen door, langs de schutting. Na een meter of honderd staan ze stil. Robbie snapt er niets van.

'Wat is dit voor geheimzinnig gedoe?' vraagt hij.

'Stil.' Tessa kijkt een paar keer naar links, naar rechts, en achter zich. Dan klopt ze op de schutting. 'In naam van Oranje, doe open die poort,' zegt ze.

Het blijft even stil. Dan gaat de schutting open, nou ja, een stukje ervan. Het is een verborgen deur.

'En dit is Plantage Vrijstaat.' Tessa maakt een breed gebaar. Met grote ogen van verbazing gaat Robbie de deur door, waar Ayoub, Amba en Jennie hem opwachten. Wat hij ziet is een jungle, een geheimzinnige tuin met allerlei verborgen plekken: boomhutten, de ingang van een hol, een indianentent.

'Tjonge jonge.' Dat is alles wat hij zegt. Hij is helemaal overdonderd. 'Van wie is dit allemaal?'

'Van niemand,' zegt Tessa. 'Van ons.'

En dan ziet Robbie achterin, naast een boom op een stukje gras, een paard.

'Dus toch,' zegt hij. 'Ik dacht al dat ik gehinnik hoorde.'

'Dat is Donna,' zegt Jennie. 'Mijn paard.'

Dus Jennie heeft een paard. Nou ja, kakkers. Robbie loopt de wildernis van onkruid en struiken in. Dit is fantastisch! Een oerwoud, midden in de stad, en niemand die het weet. Behalve een paar kinderen dan.

'Wie weten hiervan?' vraagt hij.

'Nou, wij,' zegt Tessa, terwijl ze naar Ayoub, Jennie en Amba wijst. 'Mike, mijn broertje, Oei, Kim, en X en Y.'

X en Y zijn Xander en Yara, de tweeling. Ze zitten bij Robbie in de klas, net als Oei en Kim. Oei is Chinees.

'Tjonge jonge,' zegt Robbie nog maar eens een keer. Hij kijkt naar de klimtouwen en de touwladders die aan de takken hangen. Je kunt hier gewoon apenkooien!

'En nu heb jij ons toevallig ontdekt,' zegt Tessa. 'Wat niet de bedoeling was.'

'Nee.' Robbie schiet in de lach. 'Valt niet mee, hè, Ayoub? Hooghouden, bedoel ik.'

'Ja, hou maar op,' mompelt Ayoub. 'Ik struikelde.'

'Je kunt lid worden,' zegt Tessa. 'Maar dan moet je eerst een eed zweren.'

'Een wat?'

'Een eed, dat je zweert dat je dit geheim aan niemand verraadt.'

'En dan moet je nog een opdracht uitvoeren,' zegt Jennie. Een eed zweren en een opdracht uitvoeren, het wordt steeds geheimzinniger. Robbie knikt enthousiast. 'Kom maar op,' zegt hij.

'Goed.' Tessa gaat tegenover hem staan. 'Zeg me na.' Ze zegt de eed op, zin voor zin, en Robbie zegt hem na.

'Ik, Robbie, beloof, zolang ik leef, om nooit iets te vertellen over de Plantage. Op straffe van eeuwige uitsluiting en niet te voorziene rampspoed. Ook zweer ik binnenkort de toelatingsproef te doen, en me te houden aan de regels.'

Hij schiet soms bijna in de lach, maar hij kan zich goedhouden. De anderen staan er met een ernstig gezicht bij. 'Dat was dat,' zegt Tessa als ze klaar zijn. 'En nu de toelatingsproef. Wat zullen we eens verzinnen...'

Het blijft een tijdje stil, terwijl iedereen nadenkt. Robbie tekent met de neus van zijn schoen een figuurtje in het zand. Het paard graast rustig verder. Een paar mussen zitten elkaar kwetterend achterna. Er rijdt een auto door de straat. Binnen de schutting wordt nagedacht, en buiten de schutting draait de wereld gewoon door.

'Ik heb het,' zegt Jennie ten slotte.

Ze kijken haar allemaal vol verwachting aan.

'Robbie moet erachter zien te komen wie die krantjes maakt.'

'Wat voor krantjes?' Robbie vraagt het, maar hij is bang dat hij weet wat Jennie bedoelt.

'*Goudkoorts*,' zegt ze.

Daar heb je het al. Nu heeft hij dus een gigantisch probleem.

Jááá, dat is hem!

 Robbie speelt linkerspits. Hij is wel rechts, maar zo nauw komt het niet. Het is de enige plek die nog niet bezet was. Zijn nieuwe voetbalschoenen zitten nog een beetje strak, maar het gaat goed. Hij rent als een dolle langs de lijn heen en weer, zwaait met zijn armen en roept om de bal. En soms krijgt hij hem nog ook. Hij geeft nu en dan een pass en heeft een paar keer geprobeerd om zijn directe tegenstander te passeren. Het lukte hem één keer.

'Ja, speel hem af, jochie!' Oma Spagaat zit langs de lijn. 'Afspelen die bal!'

Hij probeert een voorzet te geven, maar met zijn linkerbeen gaat dat niet. De bal hobbelt over de zijlijn.

'Volgende keer beter!' roept oma Spagaat.

Wim Vis staat aan de overkant en schudt zijn hoofd. Dat doet hij misschien niet vanwege de mislukte voorzet, maar vanwege die bemoeial op het bankje.

Zo nu en dan kijkt Robbie naar de zijlijn, maar Natasja ziet hij niet. Die is het vergeten natuurlijk, jammer. Misschien is ze helemaal niet op hem.

Halverwege de wedstrijd wordt Robbie gewisseld.

'Youssouf is aan de beurt,' zegt Wim. 'Iedereen speelt.'

Eerlijk gezegd vindt Robbie het niet erg. Hij heeft een blaar op allebei zijn hakken. Door zijn nieuwe schoenen.

'Goed gespeeld voor de eerste keer,' zegt Wim, en hij geeft hem een klap op zijn schouder. 'Nieuwe schoenen, hè?' Hij grijnst. 'Trek maar gauw uit.'

Opgelucht doet Robbie dat. Hij kijkt vanaf het bankje naar de rest van de wedstrijd. Het staat één-één, maar ze zijn sterker.

'Het zit erin!' Oma Spagaat is vanaf de overkant woord voor woord te verstaan. 'Doorknokken! Gaan met die banaan! Speel samen!'

'Ik kan wel ophouden met trainer zijn.' Wim zucht. 'Die roeptoeter aan de andere kant neemt het helemaal over.'

'Ze doet het voor de club,' zegt Robbie.

'Daar heb jij weer gelijk in. Laten we het daar maar op houden.'

Raymond, de keeper, heeft de bal te pakken. Hij schiet hem met een harde trap, en met een fikse wind in de rug, naar voren. Daar staat Jeffrey, in de spits. Hij ziet de hoge, verre bal aankomen, maar een verdediger staat tegen hem aan te leunen, terwijl de keeper aan komt rennen. Jeffrey wil naar de plek waar de bal neer zal komen maar hij krijgt een duw in zijn rug en valt.

'Penalty!' schreeuwt oma Spagaat. Ze springt op van haar bankje. 'Zuivere penalty!'

De scheidsrechter fluit niet.

'Ben je blind of zo?'

De bal komt intussen neer en stuitert over Jeffrey heen.

Over de verdediger.

En over de keeper, die te ver van zijn doel staat.

Hobbeldebobbel verdwijnt de bal in het doel.

Goal!

Twee-één!

'Jááá!' schreeuwt oma Spagaat 'Jááá, dat is hem!'

Ze springt op en neer, doet dan een stapje te ver naar achteren, en tuimelt over het bankje. Daar ligt ze op haar rug in het gras. Robbie ziet nog net haar voeten boven het bankje uit komen.

'Goudkust United!' roept ze.

Met hun armen om elkaars schouders lopen Robbie, Jeffrey en Ayoub een uurtje later over straat. Ze zingen de longen uit hun lijf.

Lááláá lalálalala
Goudkust is the best, hoi!
Beter dan de rest, hoi!
Beter dan de rest, hoi!
Lááláá (enzovoort)

Ze hebben gewonnen, met drie-één. Jeffrey heeft nog een keer gescoord, met een kopbal. Robbie is helemaal gelukkig. Dank je wel, ma, denkt hij. Dank je wel, moeder van Jennie. Bedankt voor het afluisteren.

Toch jammer dat hij dat gesprekje niet in *Goudkoorts* kan zetten. Maar ja, hij heeft het beloofd.

Dan houdt hij plotseling op met zingen en hij fronst zijn wenkbrauwen, als hij denkt aan het probleem dat hij sinds gisteren heeft. Hij heeft een opdracht gekregen, die hij makkelijk kan volbrengen, maar dat mag hij niet doen. De *Goudkoorts* is geheim, dat kan hij niet verraden. Hij weet nog niet hoe hij dat moet oplossen. Maar als het niet lukt mag hij geen lid blijven van Plantage Vrijstaat. Dat zou jammer zijn.

Nog zoiets: Plantage Vrijstaat zou een mooi onderwerp kunnen zijn voor *Goudkoorts*. Maar dat kan ook niet. Hij heeft gezworen dat hij het geheim niet zal verraden.

Dus nu heeft hij twee geheimen, die ook nog eens geheim zijn voor elkaar.

Lastig.

'Hé, Robbie.' Jeffrey stoot hem aan. 'Zingen, kom op. We worden kampioen, man, net zo makkelijk!'

Robbie schudt het probleem van zich af en daar gaan ze weer.

Kampioonus, kampioonus,
Olé oléé olé!

Ze gaan de hoek van de Goudenregenstraat om, en dan staan ze plotseling verbluft stil.

Waar had ik die moeten halen, druiloor?

Ze kunnen niet verder. Over de volle breedte is de straat versperd met planken, stoelen, kliko's, twee auto's en allerlei troep. Er kan niemand meer door, of ze moeten naar de andere kant klimmen. En daar komen ze dan Sjaak Spetter en Ti Ta Toontje tegen. Ti Ta Toontje heeft een stok met een kartonnen bord eraan vast in zijn hand. KABOUTERS HEBBEN OOK RECHTEN staat erop. En over de versperring hangt een doek met GOUDKUST UNITED! erop. Een paar mensen zijn nieuwsgierig voor de barricade blijven staan.

'Niemand komt erin,' zegt Sjaak stoer. 'Alleen bewoners.'

'Wat is er eigenlijk aan de hand?' vraagt een vrouw met een boodschappentas.

'Geen bussen door deze straat,' zegt Sjaak. 'Over mijn dooie lijk nog niet.'

'Ik zie helemaal geen bussen,' zegt de vrouw.

'Heb jij nou echt geen flauw idee van wat er om je heen gebeurt?' Sjaak kijkt haar misprijzend aan. 'Ze willen hier een busbaan aanleggen.'

'O, nou, daar maak ik me niet druk over. Ik woon verder-op.' Ze maakt een beweging met haar hoofd naar links.

'Wat sta je hier dan, mens? Ga lekker naar huis toe.'

'Ja ja, ik ga al. Tjonge jonge, wat een drukte.' De vrouw loopt hoofdschuddend weg.

'Ramptoerist!' roept Sjaak haar na. 'Ga maar lekker thuis naar je duffe soap kijken!'

'Mogen we er nou door?' vraagt Jeffrey. 'Wij wonen hier, en we hebben gewonnen.'

'Hier.' Sjaak schuift met zijn voet een oud tafeltje opzij. 'Wat zei je nou, hebben jullie gewonnen?'

'Met drie-één,' zegt Ayoub. 'Van Leonidas.'

'Ah, de kakkers uit Tuindorp.' Er vliegt een kloddertje spuug door de lucht. 'Goed werk.'

Ze schuiven tussen de troep door, net op het moment dat er achter hen een politieauto aan komt rijden.

'Daar zul je ze hebben, hoor.' Sjaak Spetter schudt met zijn schouders. 'Ik ben er klaar voor.'

De auto stopt op een meter of tien van de barricade en er stappen twee agenten uit. De jongens blijven staan. Niks naar huis, dit willen ze niet missen.

'*Goudkoorts*,' zegt Jeffrey geluidloos, terwijl hij Robbie aan-kijkt. Robbie leest het van zijn lippen en knikt heel even.

Een van de agenten komt met driftige stappen naar hen toe. De andere, duidelijk een stukje ouder, doet het rus-tiger aan.

'Ja, wat zijn we aan het doen?' zegt de jonge agent op hoge toon.

'In je auto rondrijden, toch?' zegt Sjaak onschuldig. 'Moet je dat aan míj vragen?'

De agent is even van zijn stuk. 'Wat heeft dit te beteke-nen?' vraagt hij dan, terwijl hij naar de barricade wijst.

'Deze straat is bezet,' zegt Sjaak.

'Waarom?' De oudere agent is nu ook gearriveerd.

'Dit is een politiek protest, tegen de gemeente. Wij willen geen bussen door onze straat.'

Er komen nog een paar bewoners van de Goudenregen-straat aanlopen. Ze zien er dreigend en onverzettelijk uit.

'Goudkust United!' roepen ze. 'Weg met de bussen!'

'Jullie hebben hier geen vergunning voor.' De jonge agent neemt het woord weer.

'Waar had ik die moeten halen, druiloor? Bij jou soms?'

'Je beledigt een ambtenaar in functie. Ik kan je laten ar-resteren.'

'Toe maar.' Sjaak knikt het agentje bemoedigend toe. 'Klim er maar overheen.'

'Laat mij maar even, Bram,' zegt de oudere agent sus-send. Hij kijkt eens naar de zooi voor zijn voeten en dan naar Sjaak Spetter.

'Ik begrijp het helemaal,' zegt hij dan. 'Niet leuk, al die bussen door je straat. Zou ik ook problemen mee hebben.'

'Eindelijk een mens,' zegt Sjaak. 'Blij dat je het snapt.'

'Maar ik dacht dat ik ergens had gelezen dat er een in-spraakavond zou komen.'

'Zo gaat het altijd,' zegt Ti Ta Toontje. 'Ze houden pas een inspraakavond als alles al is beslist. Daar trappen wij niet in.'

'En wat is dat?' De jonge agent wijst naar het bord. 'Ka-bouters, waar slaat dat op?'

'Bemoei jij je er nou maar niet mee, Brammetje,' zegt

Sjaak Spetter minachtend. 'Daar maak je het alleen maar erger mee.'

'Luister,' zegt de oudere agent. 'Dit kan natuurlijk niet zo. Ik begrijp het wel, maar het kan niet. Ik geef jullie een uur om alles op te ruimen, en dan hebben we het nergens meer over.'

Sjaak Spetter kijkt hem aan en zegt niets.

'Afgesproken?'

'Dus je komt over een uur terug?' zegt Sjaak.

'Dat zeg ik.'

'Nou, gezellig. We wachten op jullie. Moeten we nog koffie zetten?'

'Als dat zou kunnen.' De agent grijnst bemoedigend. 'Nou, ik laat het aan jullie over. Tot straks.'

'Oké, man. Tot later.'

De agent draait zich om en geeft zijn jonge collega een duwtje in de rug.

'We gaan,' zegt hij.

'Maar...'

'Hoor je hem niet, Bram?' zegt Sjaak. 'Jullie gaan.'

Even later rijdt de politieauto de straat uit.

Robbie is een beetje teleurgesteld. Hij had niet gedacht dat Sjaak zo makkelijk zou toegeven. En nu meteen alles opruimen zou ook zonde van alle moeite zijn.

'Dus nu gaan jullie alles opruimen?' zegt hij.

Sjaak kijkt hem verbaasd aan.

'Opruimen?' vraagt hij. 'Wie zegt dat?'

Het uur is om

'Mag ik weg?'

Robbie zit aan tafel. Hij schuift heen en weer op zijn stoel, ongeduldig als een hond aan de riem die buiten een kat voorbij ziet komen.

'Je hebt je bord nog niet eens leeg. En waar moet je zo nodig naartoe?' Zijn moeder kijkt hem onderzoekend aan.

'Wacht.' Robbie werkt in grote haast de rest van zijn bloemkool met gekookte aardappeltjes en een gehaktbal naar binnen. 'Er komt een opstand in de Goudenregenstraat,' zegt hij met volle mond.

Robbies moeder kijkt zuinig. Dat ziet ze nou helemaal niet zitten, een opstand. Veel te ruw, veel te onbeschaafd.

'Kom, Dorrie,' zegt Robbies vader. 'We moeten toch allemaal voor het belang van onze buurt opkomen. Ik ga zelf ook.' Hij prakt met een laatste stuk aardappel de resten van de jus van zijn bord. 'Hè, lekker was het weer, schat. Kom, Robbie.'

Robbie kijkt op de klok. Het uur van de agent is bijna

voorbij. Nog iets meer dan vijf minuten. Hij is razend benieuwd of de barricade er nog steeds is, of dat ze misschien iets anders hebben bedacht.

Hij plukt zijn jas van de kapstok en gaat de deur uit. Achter hem hoort hij zijn moeder nog wat napruttelen, maar ze houdt hem niet tegen. Die is natuurlijk veel te bang dat ze in de *Goudkoorts* komt.

Hij rent de straat uit, naar het Morgenstondplein, en dan weer de hoek om.

De barricade ligt er nog net zo bij als een uur geleden. Er staan nu alleen meer mensen achter. Er hangt een tweede spandoek over een paar stoelen met de tekst DE WIJK WIJKT NIET!

'Robbie!' Jeffrey roept hem. Hij staat achter Sjaak Spetter, met Amba en Tessa.

En Natasja!

'Kinderen naar achteren,' heeft Sjaak gezegd. 'Grote mensen naar het front.'

Robbie klimt over de barricade heen en gaat naar de anderen toe.

'Spannend, hè?' zegt Amba.

'Het uur is om.' Jeffrey kijkt op zijn horloge. 'Nou gaat het gebeuren.'

Ze kijken allemaal in de richting van het Morgenstondplein, maar daar is geen politie te zien. Er gebeurt helemaal niets.

'Straks komen ze van de andere kant,' zegt Robbie ongerust. Hij is ongemerkt (hoopt hij tenminste) vlak bij Natasja gaan staan. Als er iets gebeurt kan hij laten zien hoe flink en stoer hij is.

'Kan niet.' Tessa schudt haar hoofd. 'Aan de andere kant
is ook een barricade, met Mercedes Beng.'
Met Mercedes Beng, dat zit wel goed dus.
Nu komt er wel iemand uit de richting van het plein.
Maar het is geen politie en het is geen auto. Het is Fred
Karbouw van snackbar Het Goudmijntje. Hij draagt een
grote, platte doos met allemaal bakjes friet erin.
'Voor de dappere strijders,' zegt hij.

Dat is sympathiek van Fred. Zelf ziet hij namelijk hier en daar wel voordelen in het plan van de gemeente. Een busstation op het Morgenstondplein betekent dat hij veel meer klanten krijgt, en toch steunt hij de bezetters van de Goudenregenstraat.

'Ik ben solidair met de buurt,' zegt hij, terwijl hij de doos afgeeft. 'Dat spreekt.'

De mensen achter de barricade applaudisseren.

'Fred-je! Fred-je! Fred-je!' klinkt het.

'Ik ga weer,' zegt Fred Karbouw. 'Ik kan mijn handel niet onbeheerd achterlaten.' Hij neemt al zijn honderddertig kilo's weer mee. Jammer, Fred is in zijn eentje al bijna een barricade. Die hadden ze goed kunnen gebruiken.

De kinderen mogen helpen met uitdelen.

'Patat, dat legt een lekkere bodem,' zegt Sjaak met volle mond, ondertussen het Morgenstondplein in de gaten houdend.

En na een minuut of wat komt dan toch een politieauto langzaam in de richting van de barricade rijden.

'Denk erom, mensen!' roept Sjaak Spetter. 'We gebruiken geen geweld. Niet uit onszelf tenminste!' Hij schudt zijn schouders weer los.

De auto stopt, op dezelfde plaats als ruim een uur geleden. Deze keer loopt de oudere agent voorop. Hij kijkt een stuk minder vriendelijk dan daarnet.

'Weet je niet meer wat ik heb gezegd?' zegt hij kwaad.

'Ik weet nog precies wat je hebt gezegd,' antwoordt Sjaak. 'Maar we hebben het niet gedaan. Patatje?'

'Doe nou maar niet zo onnozel,' snauwt de agent. 'Dit gaat uit de hand lopen, vriend.'

'O ja? Wie wou je op ons afsturen? Bram?' Sjaak tuft opzij en kijkt minachtend naar de jonge agent, die schuin achter zijn collega staat.

'Als je later maar niet zegt dat ik jullie niet heb gewaarschuwd,' zegt de agent. Hij wenkt zijn collega en ze gaan samen terug naar de auto. Robbie, die het allemaal met rode wangen van spanning heeft gevolgd, ziet dat hij zijn mobilofoon pakt en begint te praten. Na een tijdje rijdt de auto weg.

'Nou, dat was dan de sterke arm,' zegt Ti Ta Toontje. 'Ze durven niks tegen ons te doen.'

'Geloof dat maar niet.' Sjaak mikt op een leeg patatbakje. Iedereen wacht gespannen af. Eerst is het rustig en tamelijk stil om hen heen, maar dan opeens hoort Robbie heel in de verte sirenes.

'De ziekenauto,' zegt hij.

'Ik denk het niet.' Sjaak luistert ingespannen. 'Die klinkt anders. En het zijn er meer. Dit zijn politieauto's. Zet je maar schrap, allemaal!'

Ze zetten zich allemaal schrap, en even later komen er drie ME-busjes het Morgenstondplein op scheuren.

Plan B!

Eerst was het nog wel een vrolijke boel, maar nu is de situatie opeens behoorlijk dreigend geworden. Robbie doet een paar stappen naar achteren, als hij de ME'ers uit de busjes ziet komen: mannen (of misschien ook wel vrouwen, dat is niet te zien) in donkerblauwe uniformen met witte helmen op. Ze stormen niet als dollen op de barricades af, maar stellen zich in een rij op. Ze hebben allemaal een lange wapenstok bij zich en een doorzichtig schild.

'Cool,' zegt Jeffrey, maar zijn stem is schor. Hij schraapt zijn keel.

'Wat gaan we doen, Sjaak?' vraagt oma Spagaat. 'Hoe gaan we deze flinkerds aanpakken?'

De strijdlust straalt uit haar ogen. Het ontbreekt er nog maar aan dat zij ook een helm op heeft. 'Ik lust ze rauw.'

'Rustig, oma.' Sjaak tuft eens tegen de barricade. 'Dit is een geweldloze actie.'

De rij ME'ers komt langzaam dichterbij. Robbie ziet hun gezichten nauwelijks, het is net een bewegende, donkerblauwe muur. Hij merkt dat het stil is geworden om hem heen. Ti Ta Toontje houdt zijn bord nog steeds omhoog, maar zijn handen trillen een beetje.

Met zijn kabouters. Het ziet er eigenlijk niet uit.

Iedereen wacht gespannen af.

'U dient de straat met onmiddellijke ingang te ontruimen.' Een metalige stem verbreekt de stilte. Iemand zegt het, maar het is niet te zien wie het is. De stem komt uit een luidspreker.

De stilte wordt nog zwaarder dan ze al was.

'Robbie, thuiskomen!' klinkt dan opeens een stem, hoog, scherp en duidelijk verstaanbaar. 'Nu, direct!'

Nee hè, zijn moeder!

Lekker leuk!

Nu staat hij nog voor paal ook!

Naast hem schiet Natasja in de lach. Een zenuwachtige lach, dat wel. Ze is niet de enige. Eén voor één beginnen ze te lachen, en op het laatst schateren ze het allemaal uit.

'Hij heeft al gegeten, Robbie z'n moeder!' roept Sjaak. 'Patat van Fred, lekker vet!'

Robbie heeft een kop als vuur. Dat heeft hij weer. Midden in de actie, als de oorlog op het punt van uitbreken staat, komt zijn moeder zeggen dat hij moet thuiskomen. Hij is razend. Nou komt ze toch echt in *Goudkoorts*, denkt hij. Eigen schuld. Stom mens!

En, ja hoor: iedereen gaat zich ermee bemoeien.

'Hij moet het vaderland verdedigen, dat zie je toch?'

'Kom erbij, moeders!'

'Wees liever trots op je zoon!'

'We doen het ook voor jou, hoor!'

'Hier blijven, Robbie!'

Ze zijn de ME helemaal vergeten. Sommigen in de rij met de witte helmen zijn gestopt, en anderen zijn doorgelopen. Het ziet er plotseling nogal slordig uit. Ze aarzelen, of kijken om naar hun commandant. Dit is nieuw voor hen, dit maken ze nooit mee: vrolijkheid. Óf de massa tegenover hen is agressief, óf ze rennen zo hard mogelijk weg. Maar mensen die niet meer bijkomen van het lachen, nee, dat niet.

De metalige stem probeert de orde te herstellen.

'Peloton, behoudt formatie,' klinkt het. De helmen schuiven geleidelijk aan weer naar elkaar toe, totdat de rij hersteld is. Langzaam wordt het weer stil.

'Sorry, hoor!' roept Sjaak Spetter naar de ME'ers. 'Er kwam even iets tussen!'

'Ik herhaal: u dient de straat met onmiddellijke ingang te ontruimen!' De stem klinkt onverstoorbaar. 'Peloton, langzaam voorwaarts!' De rij zet zich weer in beweging. 'Bij weigering zal na vijf minuten geweld worden gebruikt!'

'Hó!' Sjaak steekt zijn hand op. 'Momentje. Bedoel je dat we dit binnen vijf minuten opgeruimd moeten hebben?'

'Binnen vijf minuten moet er begónnen zijn met de ontruiming!'

'Oké, dat gaat gebeuren. Geen geweld!'

Dat is snel. Veel sneller dan Robbie had gedacht. Hij is aan de ene kant opgelucht, maar aan de andere kant ook teleurgesteld. Geen heldenrol voor hem. Integendeel.

Hij ziet zijn moeder niet meer. Ze is verdwenen achter de ME'ers. Sjaak heeft even staan bellen en komt nu met een kwaad gezicht naar hem toe.

'Robbie, dat ben jij toch?' zegt hij.

'Ja, hou maar op,' zegt Robbie. 'Ik kan er ook niks aan doen.'

'Ach, laat toch, man. Ik heb iets belangrijkers voor je.'

'Wat dan?'

Sjaak buigt zich naar hem toe. 'Als de bliksem naar het andere eind van de straat,' zegt hij zacht. 'Naar Mercedes Beng. De sukkel heeft zijn mobiel niet aangezet.' Hij kijkt op zijn horloge. 'Zeg tegen hem dat om twee minuten over zeven plan B in werking treedt.'

'Goed.' Robbie wordt er opgewonden van. Hij is uitgekozen om boodschapper te zijn. Hoe heet dat ook weer in de oorlog? Koerier, ja dat is het: koerier in oorlogstijd.

'Gesnopen? Twee minuten over zeven, plan B. Rennen! Laat je moeder zien wat een held je bent.'

En Natasja, denkt Robbie, terwijl hij in volle sprint door de Goudenregenstraat rent. Tóch een heldhaftige daad. Nou ja, heldhaftig… Belangrijk in elk geval.

Aan de kant, mevrouwtje

 De straat is zo goed als leeg. Bijna alle mensen staan bij de ene of de andere barricade. Aan het eind van de straat staat Mercedes Beng met de andere helft van de bewoners. Hij ziet Robbie aan komen rennen en gaat hem tegemoet.
'Wat is er?' vraagt hij ongerust. 'Moeten we optrekken naar het front?'
'Plan B,' zegt Robbie buiten adem. 'Om twee minuten over zeven...' (Twee keer diep ademhalen) '...zegt Sjaak Spetter.'
Mercedes Beng kijkt op zijn horloge. 'Mooi,' zegt hij. 'Gaan we doen.'
Aan de andere kant van de barricade staat één ME-busje, met één ME'er ernaast. Hij heeft contact met de andere kant. De andere ME'ers zitten nog in het busje. Het is hier rustiger dan bij het Morgenstondplein. Robbie gaat terug.
Dan wordt er bij een van de huizen op het raam getikt. Het huis van Bolle Holle, waar Jennie woont met haar deftige vader en moeder. Daar staat ze, Jennie. Ze zwaait naar hem.

'Kom.' Hij denkt niet dat ze hem verstaat, maar hij wenkt haar. Ze knikt enthousiast en draait zich om. Even later gaat de deur open en komt ze tevoorschijn.

'Wat ben je aan het doen?' vraagt ze.

'Ik ben koerier,' zegt hij. 'Voor Sjaak Spetter.'

'Wat voor koerier?'

'Je ziet toch wel wat er aan de hand is? We hebben de straat afgesloten. Actie tegen de busbaan. Kom op, joh, de anderen zijn er ook.'

Jennie aarzelt, maar ze loopt toch een paar passen het voortuintje in. 'Ik moet binnen blijven,' zegt ze. 'Mijn moeder zegt dat...'

'Jennifer!' Jennies moeder staat opeens in de deuropening. 'Niet naer buiten, had ik gezegd!'

Haar kakkerige stem snerpt door de straat.

'Maar iedereen is buiten,' zegt Jennie.

'Daerom juist!'

'Maar...'

'Niks maer.' Jennies moeder komt naar buiten en pakt Jennie bij haar arm vast om haar mee naar binnen te trekken.

Op dat moment brult Mercedes Beng: 'Plan B, nu! Ja mensen, actie, snel!'

De mensen om hem heen beginnen de barricade af te breken.

'Deuren open!' roept Mercedes Beng. 'Daar gaan we!'

Er rennen mensen naar hun huis om de voordeur open te zetten. Robbie helpt enthousiast mee.

Dan maar geen Jennie. Stomme moeder van haar, net zo stom als die van hemzelf.

'Aan de kant, mevrouwtje.' Mercedes Beng sjouwt samen met de vader van Ayoub een bank bij Jennie de voortuin in.

'Maer wat doet u nu?' vraagt haar moeder verschrikt.

'Plan B,' zegt Mercedes Beng. 'Dat zei ik toch? Ga even aan de kant.'

Te verbijsterd om hem tegen te houden doet ze een stap opzij. Mercedes Beng knipoogt naar Jennie en Robbie, en de bank wordt de gang in geschoven.

'Nou jae!' Meer kan Jennies moeder niet uitbrengen.

Het gaat behoorlijk snel. Binnen een kwartier is de straat vrij.

Robbie rent terug naar het Morgenstondplein. Daar is de barricade ook voor het grootste gedeelte in de huizen verdwenen.

'Plan B is uitgevoerd,' zegt Robbie hijgend tegen Sjaak Spetter.

'Goed zo jongen, aan jou heb ik wat.' Sjaak geeft hem een klap op zijn schouder. 'Ga maar gauw naar je moeder.'

Zijn moeder, dat is waar ook. Maar ze is nergens meer te bekennen. Ze heeft eieren voor haar geld gekozen en is naar huis gegaan.

'Zo, dat is gelukt,' zegt Robbie tegen Natasja. 'Gerend, joh!'

'Ik zie het,' zegt ze. 'Je zweet er helemaal van.'

Hij weet niet wat hij daar nou weer van moet vinden en hij kijkt haar zwijgend aan.

'Geintje,' zegt ze dan. 'Sorry, hoor. En dat van je moeder kon jij ook niet helpen.'

'Nee, dat was wel stom. Heb ík weer, zo'n moeder.'

'Maar wel lachen.'

'Dat wel.'

Ik móét het vragen, denkt Robbie. Is ze nou op me, of niet? Dat lachje van haar maakt hem in de war.

Ze gaan naar huis en hij vraagt het niet.

Ander keertje.

Als hij niet zo zweet.

Bij het begin van de straat, bij het Morgenstondplein, staat nog één ME-busje. Er staan twee ME'ers naast. De rest is al ingestapt. Maar het busje rijdt nog niet weg. Het wacht tot de straat leeg en rustig is. Als alles weer zo is als het hoort te zijn, stappen de twee ME'ers in en het busje rijdt het plein op.

Dan wacht er bij de hoek van de Goudvinkstraat een verrassing.

Plan B werkte als volgt: de barricades van de Goudenregenstraat opruimen, alles de huizen in, allemaal aan één kant van de straat, alles door de achterdeur weer naar buiten. Dan het steegje achter oversteken, en bij de huizen van de Goudvinkstraat alles weer naar binnen. De huizen door, en door de voordeur naar buiten.

Als het ME-busje bij de Goudvinkstraat is, zijn ze daar al bijna klaar met het weer opbouwen van de barricades.

Sjaak staat er, met zijn gespierde armen over elkaar, en Ti Ta Toontje voert actie voor zijn kabouters. Een spandoek met GOUDKUST UNITED! hangt er ook.

Alles is weer net als een halfuur geleden.

Alleen is het hele circus één straat opgeschoven.

Ik heb het!

Goudkoorts

DE BUURT GOUDKUST KOMT IN OPSTAND

In de gouderegenstraat lag een barikade.
Die had Sjaak Speter er neergelegt.
Met tie ta toontje.
Ze willen geen bussen door de straaat.
De politsie kwam met busjes van de MEE
Toen hebben ze alles opgeruimt.
En het weer opgebouwt in de goudvinkstraat.
Maar het moest toch weg.
Hoe het nu vedergaat weet niemand.

VANDAAL

In de Goudvisstraat lagen alle de prulenbakken om.
En de auto van Jo Gapers heeft allemaal dueken.
Aan de zeikant.
Zijn buurvrouw Tina Bladder zegt dat hij bezoopen was.

Ze heeft het zelf gezien.
Dat hij tegen de prulenbakken reedt.
Jo zegt dat hij nergens vannaf weet.
Tina zegt dat Jo een vandaal is
Wij houden uw op de hoogte.

FRED

Fred van de snakbar heeft iedereen een pataje gegeven.
Bij de barikade.
Nu heeft hij het heel druk in de zaak
Iedereen vind Fred een held.
Een goeie zet van fred

Als we meer niews hebben, komen we terug.
Tot ziens alemaal

In de kring zitten Robbie en Natasja naast elkaar. Dat kwam toevallig zo uit, wel leuk.
'*Goudkoorts* ziet er anders uit,' zegt juf Moniek.
'Ja, andere letters,' zegt Jennie.
'En minder fouten.' Juf Moniek knikt. 'Ze leren het wel.'
Minder fouten, dat komt omdat deze aflevering op de computer is gemaakt, en die heeft een deleteknop. Een paar vergissinkjes nog, maar dat is niet erg. Robbie had die foutjes wel gezien, maar hij wilde tegen Natasja niet de schoolmeester uithangen. Dan vindt ze hem misschien een vervelende bemoeial.
'Ik ben toch zo benieuwd wie die blaadjes maakt,' zegt juf Moniek.

Robbie schuift een beetje op zijn stoel heen en weer. Zal ze nou proberen daar achter te komen?

'Ja,' zegt Tessa. 'Maar dat het geheim is, is toch wel leuk.'

Zo, die Tessa.

'Wil jij het niet weten, dan?' vraagt Amba.

'Jawel, natuurlijk,' zegt Tessa.

Dat dan weer wel.

'Maar daar wordt aan gewerkt,' gaat ze verder. Ze kijkt Robbie opgewekt aan.

Dat had ze nou niet moeten doen. Die rooie kleur krijgt hij nooit meer van zijn hoofd af. Natasja steekt haar vinger op. Zal je zien dat ze gaat vragen of het raam open mag, omdat het zo warm is. Maar dat doet ze niet, gelukkig.

'De wethouder komt naar de wijk,' zegt ze.

Handig, even de aandacht afleiden.

'O ja?' vraagt juf Moniek. 'Waarom?'

Domme vraag. Voor de busbaan natuurlijk, dat weet iedereen. Zou ze het echt niet weten?

'We hadden de straat afgesloten,' zegt Jeffrey.

'Dat heb ik gezien. Het was op televisie.'

Zie je wel, ze weet het wel. Ze wil waarschijnlijk alleen het gesprek op gang houden. Kijk haar glimlachen.

Ja, de wethouder komt, Robbie heeft het ook gehoord. Ze zijn natuurlijk geschrokken bij de gemeente. Ze dachten dat ze dat er zomaar even doorheen konden duwen, maar dat gaat dus voorlopig mooi niet door.

Er komt weer een vergadering in buurthuis Het Schateiland. Overal in de wijk hangen aanplakbiljetten. VOOR HET BEHOUD VAN DE WIJK staat erop. KOMT ALLEN.

'Misschien ga ik er wel heen,' zegt juf Moniek. 'Ik woon hier natuurlijk niet, maar ook een beetje wél.'

Gelukkig, het gaat niet meer over *Goudkoorts*. Robbie haalt even diep adem. Hij weet nog steeds niet hoe hij zijn probleem moet oplossen. Dat zijn ene geheim wil weten wat zijn andere geheim is. Hij heeft er zelfs een tijd van wakker gelegen.

Hij kijkt stiekem even opzij naar Natasja. Wat heeft ze toch mooi haar en mooie ogen. Háár zou hij het geheim wel willen vertellen. En samen met haar naar Plantage Vrijstaat, maar ja, dat kan natuurlijk niet.

Jammer en behoorlijk balen.

De geheimen draaien rondjes door zijn hoofd, om elkaar heen. Soms komen ze elkaar tegen, en dan gaan ze weer hun eigen weg. Totdat ze elkaar wéér tegenkomen. En op een van díé momenten heeft hij het opeens.

'Ik heb het!' roept hij.

Iemand was aan het woord, Robbie weet niet eens wie. Maar midden in een zin is het opeens stil. Ze kijken allemaal verbaasd naar Robbie, die verschrikt om zich heen kijkt. Wat heeft hij nu weer gezegd…

'Dat is fijn, Robbie,' zegt juf Moniek. 'Dat je het hebt. Maar je maakt ons wel nieuwsgierig natuurlijk.'

Robbie zoekt even naar woorden.

'Als je maar lang genoeg nadenkt,' zegt hij dan. 'Dan heb je het vanzelf.'

'Maar wát heb je dan, man?' vraagt Jeffrey.

'Dat kan ik niet vertellen.'

'Ja, lekker hoor.'

'Echt niet.'

'Dus je hebt een geheim,' zegt juf Moniek.

'Ik heb er zelfs twee.'

Dat is alles wat ze uit hem krijgen. De kring gaat weer uit elkaar. Robbie kijkt met een klein glimlachje voor zich uit als hij weer op zijn plaats zit.

Hij is heel tevreden over zichzelf.

Geheimen die elkaar
een hand geven, leuk

 Ze zitten met zijn vijven op een bankje aan de rand van het Morgenstondplein: Robbie, Natasja, Jeffrey, Tessa en Jennie. Alles in de straten om hen heen is weer gewoon. Voor zolang het duurt natuurlijk.

Robbie is zenuwachtig. Hij vindt nog steeds dat hij een goed plan heeft bedacht. Maar of de anderen dat ook vinden moet hij nog maar afwachten. Hij kucht.

'Nou, vertel op,' zegt Jeffrey. 'Wat is er zo belangrijk?'

'Het zit zo,' zegt Robbie, nadat hij een keer heel diep adem heeft gehaald. 'Wij hebben allemaal een geheim.'

'Iedereen heeft wel een geheim,' zegt Jennie.

'Ja, maar die geheimen van ons hebben iets met elkaar te maken.'

'Is dat zo?' Ze kijken hem nieuwsgierig aan.

'Ze zijn familie van elkaar. Broer en zus.'

'Zou je iets duidelijker willen zijn?' vraagt Tessa. 'Ik snap er geen bal van.'

'Luister.' Nog een keer diep ademhalen. 'Ik en Jeffrey en Natasja hebben samen een geheim.'

'Ho ho!' Jeffrey protesteert. 'Wat ga je nóú doen?'

'Wacht nou even, ik leg het uit. Kijk, ik en Tessa en Jennie hebben ook een geheim.'

'Je houdt je mond hoor, Robbie!' Tessa komt half overeind.

'Ik ben nog niet klá-háár. Luister nou!'

Tessa gaat weer zitten, maar dan zo, dat ze elk moment weer overeind kan komen.

'Ik zit dus in het ene geheim, maar ook in het andere.'

Stilte.

'En nou had ik bedacht dat ik die geheimen bij elkaar kan doen.'

Verbaasde blikken.

'Dat ze elkaar een hand geven, zal ik maar zeggen.'

Verbijstering.

'Geheimen die elkaar een hand geven,' zegt Natasja na een tijdje. 'Leuk.'

'Maar ik snap het nog steeds niet.' Tessa fronst haar wenkbrauwen.

Nu krijgt Robbie eindelijk tijd om uit te leggen wat hij heeft bedacht, toen hij in de kring zat. Vooral de volgorde waarin hij het gaat doen is belangrijk, omdat hij anders de grootste ruzie krijgt voor hij zijn verhaal heeft kunnen afmaken. Hij gaat staan.

'Niet meteen slaan,' zegt hij. 'Laat me eerst het hele verhaal vertellen.'

'Goed.' De anderen leunen naar achteren, met hun armen over elkaar. Net als op school.

'Het geheim van Natasja, Jeffrey en mij is... dat wíj *Goudkoorts* maken.

81

'Ja, zie je, daar heb je het al!' Jeffrey wil opstaan.

'Echt? Cool!' (Tessa.)

'Wacht, wacht. Ik vertel het op voorwaarde dat zij allebei het andere geheim ook mogen horen.'

'Ja, nou heb je het al verteld.' (Jeffrey.)

'Het andere geheim is dat er in de wijk een geheime plek is.' Robbie gaat steeds sneller praten.

'Ik sla hem in elkaar!' (Tessa.)

'Blijf zitten, Tes.' (Jennie.)

'En omdat jullie het nu weten van *Goudkoorts*, had ik gedacht dat Jeffrey en Natasja lid mogen worden van Plantage Vrijstaat.'

Tessa denkt even na. 'En wat krijgen wij daarvoor terug?'

'Dat de Vrijstaat niet in *Goudkoorts* komt.'

'Ja, maar...'

'Eigen schuld. Hadden jullie maar voorzichtiger moeten zijn. Had Ayoub de bal maar niet over de schutting moeten schieten.'

'Dat is natuurlijk waar,' zegt Jennie.

'En dan had jij maar moeten zorgen dat je paard niet ging hinniken.'

'Dat is ook weer zo.' Tessa knikt.

'Ik word gek, geloof ik,' zegt Jeffrey. 'Waar hébben jullie het over?'

'Vertel jij het maar, Tes.'

En dan vertelt Tessa het geheim. Er zit niets anders op. Jeffrey en Natasja luisteren met groeiende belangstelling. Het klinkt geweldig, zo'n geheime plek.

'Maar moet iedereen het dan weten?' vraagt Jeffrey. 'Van *Goudkoorts*?'

'Hoeft niet,' zegt Robbie. 'Als ze met de anderen gaan overleggen, kunnen ze gewoon zeggen dat er twee leuke nieuwe leden bij komen.'

'Vooral Natasja natuurlijk,' zegt Tessa.

Het is weer zover: warm en rood.

'Maar van Jeffrey is het ook leuk,' zegt Jennie. Het is eruit voor ze het in de gaten heeft, en dan staan er drie met een rooie kop: Robbie, Jeffrey en zijzelf. En Tessa en Natasja maar lachen.

'Jullie moeten natuurlijk nog wel de eed afleggen,' zegt Tessa.

'Wat bedoel je?'

'Dat je zweert dat je het geheimhoudt,' zegt Robbie.

'En dan natuurlijk nog de proef.' (Tessa weer.)

'Proef?'

Tjonge jonge, Robbie heeft wel veel uit te leggen vandaag, zeg. Hij lijkt wel een schoolmeester.

Heb je het nou over mijn schoonmoeder?

 'Goedenavond, dames en heren.' Een man in een keurig, donkergrijs pak staat op het kleine podium van het zaaltje in buurthuis Het Schateiland. 'Mijn naam is Breekstein. Ik ben wethouder Ruimtelijke Ordening.'

Het blijft stil. Veel mensen zitten met hun armen over elkaar en een gezicht van 'laat maar eens wat horen'. Als het ze niet bevalt kunnen ze altijd nog gaan rellen.

'De gemeente heeft een plan bedacht om het openbaar vervoer in de stad te stroomlijnen, door middel van een sterk verbeterd busnet. Daar hebt u natuurlijk van gehoord.'

Doodse stilte.

'Daar heeft een commissie lang aan gewerkt.' De wethouder trekt even aan het boordje van zijn overhemd. Het lijkt wel alsof hij een beetje zenuwachtig is. 'Het is een heel werk, dat begrijpt u.'

Geen enkel commentaar.

'Dus.'

Robbie staat weer achterin. Hij is ook zenuwachtig. Jeffrey en Natasja zijn lid geworden van Plantage Vrijstaat, en ze hebben ook te horen gekregen wat de proef is: ze moeten proberen het plan van de gemeente voor de busbaan tegen te houden.

'Dat lukt ons nooit,' had Jeffrey gezegd toen hij met Natasja en Robbie overlegde.

'Maar we moeten het wel proberen.' (Natasja.)

'Maar hoe?' (Robbie.)

'Jij hebt ons hierin betrokken. Bedenk jij maar wat.'

'Ja, lekker makkelijk.'

Heeft hij weer een paar uur wakker gelegen. Hij komt zo langzamerhand slaap tekort. Maar net voor hij insliep was er heel voorzichtig een plannetje in zijn hoofd opgekomen. Hij was al te slaperig om uit bed te komen en het op te schrijven, maar toen hij vanochtend wakker werd wist hij het nog. Een goed teken, maar zenuwachtig is hij wel.

'Wat sta je te wiebelen?' fluistert Natasja naast hem. 'Moet je naar de wc of zo?'

'Nee.' Hij schudt zijn hoofd. Hij gaat het niet van tevoren vertellen. Als hij dat doet móét hij wel. En nu kan hij altijd nog besluiten om het niet te doen.

'De wijk heeft er natuurlijk veel profijt van,' zegt de wethouder. 'Volwaardig openbaar vervoer zorgt ervoor dat de verbinding met andere delen van de stad, het centrum bijvoorbeeld en het station, sterk verbeterd wordt. Ja?' Hij kijkt vragend naar Bertus Bakkeveen, die is gaan staan. 'U hebt een vraag?'

'Begrijp ik het nou goed?' zegt Bertus Bakkeveen. 'Jullie willen ons het openbaar vervoer in hebben?' Een gewone vraag, maar met een dreigende ondertoon.

'Nou, haha, dat eh… dat kan ik niemand verplichten natuurlijk.'

'Duidelijk.' Bertus Bakkeveen gaat weer zitten. Hier en daar wordt heel even gegrinnikt of gesnoven. Dan is het weer stil. Armen over elkaar.

'En de wijk wordt natuurlijk ook toegankelijk.'

'Wat bedoel je daarmee?' Bertus Bakkeveen is weer gaan staan.

'Nou, dat mensen makkelijker naar Goudkust komen.'

'En je gaat ervan uit dat wij dat fijn vinden, begrijp ik dat goed?'

'Ha ha, nee, natuurlijk niet. Nou ja… eh, een beetje misschien. Familie en zo...' Het voorhoofd van wethouder Breekstein begint te glimmen.

'Heb je het nou over mijn schoonmoeder?'

'Ha ha ha… eh… ahem.' Meer dan een kuchje komt er even niet meer uit.

Sjaak Spetter is weer voorzitter. Hij heeft het een stuk makkelijker dan de vorige keer, al is de stilte wel onheilspellend. Er hangt iets in de lucht. 'Heeft er verder nog iemand een vraag?' zegt hij.

'Ik was nog niet klaar,' zegt wethouder Breekstein. Maar hij krijgt geen kans om verder te gaan met zijn verhaal.

'Ja!' Fred Karbouw steekt zijn hand op. Hij was eigenlijk niet van plan geweest om naar deze bijeenkomst te komen, maar zijn vrouw heeft hem gestuurd. 'Ik doe de zaak wel,' zei ze. 'Kom jij maar voor onze belangen op.'

Welke belangen dat precies waren heeft ze niet gezegd, dus dat mag Fred zelf invullen.

'Dat busstation,' vraagt hij. 'Aan welke kant van het Morgenstondplein komt dat?'

De wethouder bestudeert een papier dat hij in zijn hand heeft. 'Bij de Goudmijnstraat,' zegt hij na een tijdje.

'Dat is dus pal voor mijn snackbar,' zegt Fred.

'Inderdaad.' De wethouder glimlacht. 'Een hoop extra klanten dus.'

'En elke keer een hoop uitlaatgassen over mijn handel. Dat lijkt me niet zo gezond.'

'Nou, als u de deur dichthoudt...'

'Hoe moet ik dan mijn klanten binnenlaten, Brekebeen? Vertel me dat eens.'

Mensen beginnen te lachen.

'Laten we het alstublieft wel serieus houden,' zegt de wethouder met een overslaande stem, en met een hulpeloze blik in de richting van Sjaak Spetter.

'Je hebt je punt gemaakt, Fred,' zegt Sjaak. 'Dank je wel.'

Fred gaat tevreden zitten. Hij heeft zijn belangen verdedigd, dat is duidelijk.

'Iemand nog vragen?' zegt Sjaak.

Het blijft even stil, terwijl de mensen om zich heen kijken.

'Ja, ik!' klinkt dan een stem van achter uit de zaal, en iedereen kijkt achterom.

Het is een kinderstem.

Robbie heeft zijn hand opgestoken.

'Ik heb geen vraag,' zegt hij. 'Ik wil iets zeggen.'

Ik heb gezegd!

Dit is het moment. Robbie kan niet meer terug.

'Kom maar naar voren,' zegt Sjaak Spetter. 'Dan kan iedereen je zien.'

Dat was nou precies waar hij zo bang voor was: dat iedereen naar hem zou kijken, en dat hij dan niet meer wist hoe hij het zou moeten zeggen. Met knikkende knieën en het zweet in zijn handen loopt hij naar voren.

'O, ben jíj het,' zegt Sjaak, als hij vooraan is aangekomen. 'Is je moeder er ook?'

'Nee.' Robbie schudt zijn rode hoofd.

'Zeg het maar.' Sjaak leunt naar achteren.

'Ja, nou, iedereen heeft het maar over dit en dat,' begint Robbie, eerst nog een beetje schor, 'maar niemand heeft het over de kinderen. En die wonen ook in de wijk.'

Niemand zegt iets. Ja, hij heeft gelijk: kinderen wonen er ook. Maar wat wil hij nou?

'Als er zo vaak bussen door de straat rijden is dat heel gevaarlijk voor de kinderen. Als die aan het voetballen zijn en de bal vliegt de straat op...'

'Maar als je de straat op loopt moet je altijd heel goed uitkijken,' zegt wethouder Breekstein. 'Dat weet je toch wel, jongetje?'

'Als kinderen spelen kijken ze niet altijd uit,' zegt Sjaak Spetter.

'Tja...' De wethouder houdt zijn handen omhoog met een gezicht van 'dan kan ik er ook niets aan doen'.

'Ja, en die bussen gaan natuurlijk veel te hard rijden!' roept Ti Ta Toontje. 'Die jongen heeft gelijk: het is levensgevaarlijk.'

'Net of jij altijd zo voorzichtig rijdt,' zegt de moeder van Jeffrey.

'Nou moet je ophouden, Greet. Jij hebt je rijbewijs niet eens, en je rijdt bij het lessen al overal tegenaan.'

'Omdat ze niet aan de kant gaan!'

De rust is verdwenen. Robbie staat nogal verloren voor in het zaaltje. Hij was nog niet uitgesproken, maar hier komt hij niet bovenuit.

'Ho ho, mensen!' roept Sjaak. 'Laten we wel bij het onderwerp blijven!'

En als het niet meteen stil wordt: 'En nou houdt iedereen zijn kop dicht, ja!!'

Iedereen houdt zijn kop dicht.

'Ga door, jongen,' zegt Sjaak. 'Of was je al klaar?'

'Nee, nee.' Robbie schudt zijn hoofd. 'De kinderen willen geen bussen in de wijk, maar dat eenrichtingsverkeer is wel een goed idee.'

Er valt een verbaasde stilte.

'Dat is veiliger. En we willen ook dat er niet harder wordt gereden dan dertig kilometer.'

Geen reactie.

'En verkeersdrempels.' Robbie weet niet of alle kinderen dat willen, dat heeft hij ze niet gevraagd. Maar hij rekent erop dat ze het met hem eens zijn.

'En die bussen kunnen ook wel ergens anders langsrijden.' Applaus.

'Klaar?' vraagt Sjaak.

Robbie knikt van ja. 'Klaar,' zegt hij. 'En als het plan toch doorgaat komen de kinderen van Goudkust in actie, als u dat maar weet.'

Overal klinken kreten van instemming.

'Goed gezegd!'

'Wij staan achter onze kinderen!'

'Of ervoor, dat kan ook!'

'Weg met de bus!'

'Dertig kilometer is hard zat!' (Koos Knalpot.)

En dan opeens komt iemand met grote stappen naar het podium. Iedereen die in de weg staat stapt snel opzij, want ze willen niet ondersteboven worden gelopen. Het is Mercedes Beng.

'Luister!' roept hij. 'Al moet ik tíén kilometer per uur rijden, dan dóé ik dat. Goudkust moet veilig worden. Er moeten niet nog meer slachtoffers vallen!'

Het wordt doodstil. Iedereen weet waar Mercedes Beng het over heeft. Mercedes Beng, die eigenlijk Henk Kruidenier heet, maar die naam gebruikt niemand. Een tijd terug is Tieske, zijn zoontje, doodgereden door iemand in een Mercedes, die daarna ook nog doorreed. Gek van verdriet raakte hij aan de drank, totdat zijn vrouw het niet meer bij hem uithield. Sinds die tijd is hij alleen.

Soms lijkt hij heel gewoon, en kan hij ook wel vrolijk zijn. Maar andere keren is hij plotseling somber, en dan moet je bij hem uit de buurt blijven. Dan kan het zomaar gebeuren dat hij elke Mercedes die hij ziet staan vol deuken schopt. Vandaar zijn bijnaam natuurlijk.

'Als ik Tieske ermee kon terugkrijgen zou ik allebei mijn auto's verkopen. Wat zeg ik, ik zou ze wéggeven!' Zijn stem klinkt raar, en Robbie, die vlak bij hem staat, zou zweren dat hij tranen ziet in Mercedes Bengs ogen.

'Bussen zijn groot en levensgevaarlijk, en ze hebben een enorme dooie hoek! We willen veiligheid voor onze kinderen, geen bussen die met een rotgang door de straat rijden!'

Het blijft even stil.

'Ik heb gezegd!'

'Goed gezegd, Beng!' roept Greet, de moeder van Jeffrey. 'Helemaal mee eens!'

Mercedes Beng slaat een arm om Robbies schouders. 'Dank je wel, jongen,' zegt hij schor. 'Jij hebt precies gezegd waar het om gaat.'

'Mag ik nu mijn verhaal afmaken?' vraagt wethouder Breekstein aan Sjaak Spetter.

'Zou ik niet doen als ik jou was,' zegt Sjaak. 'Je bent nou nog heel.'

De wethouder trekt een verongelijkt gezicht, maar Sjaak Spetter steekt zijn handen in de lucht.

'Dat was het dan, mensen,' zegt hij. 'Einde verhaal. Bedankt voor jullie komst, en het is duidelijk: die busbaan willen we niet!'

Nog één keer daverend applaus.

Hé Natas, ik ben...

'Je bent een held, Robbie.'
Robbie bloost voor de zoveelste keer, maar nu vindt hij het niet vervelend, omdat het Natasja is, die het tegen hem zegt.
'Och...' zegt hij.
'Ik weet niet of ik dat zou durven,' zegt Natasja.
'Ik was ook zenuwachtig, hoor,' zegt Robbie. 'Maar ík dacht: niet meer nadenken, gewoon doen.'
'En die wethouder met zijn dure pak had niks meer in te brengen.'
'Maar dat kwam ook door Mercedes Beng.'
'Dat is waar.' Natasja haalt haar neus op. 'Ik moest er bijna van huilen.'
'Zullen we het in *Goudkoorts* zetten?'
'Natuurlijk. We gaan je beroemd maken.'
Ik móét het zeggen, denkt Robbie weer. Ik moet zeggen dat ik op haar ben. Nu maak ik meer kans, omdat ik beroemd ben.
'Hé, Natas, ik ben...' Hij stopt. Het is weer hetzelfde liedje. Elke keer als hij zoiets tegen haar wil zeggen, houdt

zijn stem op. Het is alsof iemand een kurk in zijn keel stopt. Er komt geen woord meer uit.

Natasja kijkt opzij. Ze zegt niets, maar ze zucht, heel even. En dan weer dat lachje.

Ze gaan het schoolplein op. Het is snel duidelijk dat veel kinderen al hebben gehoord wat er de avond daarvoor is gebeurd.

'Robbie!' hoort hij. 'Was je de held van de avond?'

Hij kijkt om. Bobbie Speer uit groep acht steekt zijn duim op. Ze kijken allemaal naar hem, terwijl hij verder het plein op loopt. Alsof hij een filmster is, of een beroemde voetballer.

En Natasja blijft naast hem lopen!

Als juf Moniek hem in de gang tegenkomt en zegt: 'Dus nu heb ik een beroemdheid in de klas', kan zijn dag niet meer stuk.

'We moeten onze actie meteen uitvoeren,' zegt Jeffrey als ze met zijn drieën na zitten te denken over de nieuwe *Goudkoorts*.

'Moeten we niet even wachten?' vraagt Robbie.

'Wachten, waarop?'

'Tot er een beslissing komt. Misschien laat die wethouder het toch niet doorgaan. Dan hoeft die actie helemaal niet.'

'Moet jij eens opletten. Eerst hoor je een hele tijd niks, en als bijna niemand er meer aan denkt, gaat het plan opeens toch door.'

'Hoe weet jij dat?'

'Mijn vader zegt dat het altijd zo gaat.'

'Wat wou je dan doen?'

'Daar moet ik eerst over nadenken.' Jeffrey kijkt Robbie en Natasja aan. 'En jullie natuurlijk ook. We moeten iets bedenken waardoor ze niet anders kunnen dan ons gelijk geven.'

'Denk je echt dat ze zich iets van kinderen aantrekken?' zegt Natasja.

'Waarom niet? We moeten het in ieder geval proberen.'

Robbie snapt wel waarom Jeffrey haast heeft met een plan. Stel dat het lukt, dan zitten Natasja en hij in Plantage Vrijstaat.

'Goed.' Jeffrey wrijft in zijn handen. 'En dan nu *Goudkoorts*. Wat hebben we voor nieuws?'

Daar heeft Robbie ook nog over nagedacht: zijn moeder. Hij was erg kwaad op haar geweest, toen ze hem bij de barricade weg wilde halen. Als ze op díé avond een *Goudkoorts* hadden gemaakt, zou haar gesprek met de moeder van Jennie er zeker in gekomen zijn. Maar gelukkig had hij de tijd gehad om daar over na te denken. Hij wil natuurlijk geen ruzie met zijn moeder krijgen. Om te beginnen heeft hij helemaal geen zin in ruzie. Ze heeft het misschien hoog in de bol, maar ze is wel zijn moeder. En ze is best lief, eigenlijk.

Daar komt bij dat hij misschien meteen weer van voetbal af moet als hij haar te kijk zou zetten. Kortom: hij gaat het niet doen.

'De vergadering natuurlijk,' zegt Natasja. 'En Robbie hier' – ze geeft hem een klap op zijn schouder – 'als held.'

'Dat spreekt vanzelf,' zegt Jeffrey. 'Is er verder nog iets gebeurd?'

'Toch jammer dat we Plantage Vrijstaat er niet in mogen zetten,' zegt Natasja.

'Als we dat doen, kunnen we daar net zo goed meteen mee ophouden.' Jeffrey kijkt haar hoofdschuddend aan.

Ze maken een lijst met van alles wat ze in de buurt hebben gezien of gehoord. Leuke weetjes en roddels. Niet allemaal even belangrijk misschien, maar ze voelen zich echte journalisten. Of, zoals Jeffrey laatst zei: paparazzi.

Goudkoorts

DE BUSBAAN

Er was een vergaderin in het burthuis.
Met de wethouder.
Hij had een duur pak aan.

Sjaak Speter was de voorziter.

Iedereen was tegen de busbaan.

Robbie witebrood hield ook een toespraak.

Hij zei dat de busbaan gevarlijk is voor de kinderen

En mersedes beng was verdrietig.

Hij gaat allebij zijn autos weggeven.

Als hij Tieske terugkrijgt.

Maar dat gaat jamer genoeg niet geburen.

KABOUTERS

Tietatoontje is kwaat.

Iemand heeft een smurf in zijn tuin rood geverft.

Hij gat uitzoeken wie het heeft gedaan.

Die gat hij eens even helcmal onderschilderen.

RIJLES

Greet Kwekeboom had weer rijles.

Van sjarief.

Ze moest links af.

Maar haar kniperlicht stond rects aan.

Toen knalde ze tegen de vulniswagen aan.

De verzekering betalt.

Hoopt sjarief.

JUF MONIEK

Juf moniek is weer gezien.

Met haar vrient.

Ze waren in het winkelsentrum.
Ze gingen naar binen bij de V en D.
We weten niet wat ze gekocht hebben.
De joernalist moest om vijf uur tuis zijn.

Eind van deze aflevering van goudkoors
Volgende keer...
Meer!

Met je neus d'r tussen!

Er gaat een optocht door de stad. Er lopen bijna alleen maar kinderen mee, op een paar volwassenen na. Ze hebben spandoeken bij zich en kartonnen borden op stokken.

GEEN BUS DOOR DE GOUDKUS staat er bijvoorbeeld op, GOUDKUST UNITED! natuurlijk, BUSSEN NEE, SPELEN JA en NOOIT MEER TIESKE. Dat laatste bord heeft Mercedes Beng geschilderd. Zelf loopt hij tussen de kinderen in, samen met Bertus Bakkeveen en Sjaak Spetter. Om ervoor te zorgen dat alles goed verloopt.

De meeste kinderen hebben hun gezicht wit gemaakt, en dat ziet er raar uit. Een beetje eng zelfs.

De mensen op de trottoirs kijken verbaasd naar wat daar langskomt, en sommigen lopen achter de stoet aan, uit nieuwsgierigheid. Dit is nogal ongewoon.

Voorop lopen Jeffrey, Robbie, Tessa, Jennie en Natasja. Jennie mocht eigenlijk niet van haar moeder. Die vindt het allemaal maar 'onbeschaefd'. Maar Jennie was vastbesloten. Ze vindt haar moeder lief, maar ze heeft meer dan genoeg van dat kakkerige gedoe. Ze wil nooit meer terug naar vroeger, toen ze deftig en rijk waren. Toen het leven saai was. Ze heeft ook een bord bij zich, en ze steekt de stok zo hoog mogelijk in de lucht. BLIJF VAN MIJN GOUDKUST AF! staat erop.

De tocht gaat naar het stadhuis. Ze hebben geen vergunning aangevraagd, omdat het dan allemaal misschien te lang zou duren.

'Grote mensen kosten alleen maar tijd,' had Jeffrey gezegd. 'We gaan het gewoon doen.'

Hij loopt als een aanvoerder vooraan in de stoet, als een generaal aan het hoofd van zijn troepen.

Als ze bij het stadhuis zijn aangekomen blijven ze staan, midden op straat. Aan de ene kant van de groep staan Sjaak Spetter en Bertus Bakkeveen klaar om het verkeer tegen te houden. Mercedes Beng staat aan de andere kant, alleen. Maar hij is in zijn eentje minstens zo afschrikwekkend als Sjaak en Bertus bij elkaar.

Er verzamelt zich een groep mensen op de trottoirs aan weerszijden van de straat. Vreemden, nieuwsgierigen, maar ook opvallend veel bewoners van Goudkust. Die moesten misschien toevallig in de buurt zijn. Of het is géén toeval, dat kan natuurlijk ook.

'Oké!' roept Jeffrey. 'Zitten!'

De hele club gaat zitten, maar de borden en de spandoeken blijven omhoog. En dan klinkt de yell die Jeffrey heeft bedacht.

Rot op met je bussen!
Yeah, yeah, yeah!

Met je neus d'r tussen!
Yeah, yeah, yeah!

Het schalt door de straat, het weerkaatst tegen de muren van het stadhuis, en de bewoners van Goudkust op de stoep yellen uit volle borst mee.

Aan weerszijden van het bezette stuk straat zijn de eerste auto's al blijven staan. Niemand toetert, nog niet tenminste. Het wachten is op actie vanuit het stadhuis. Of van de politie. De spanning stijgt.

Robbie zit naast Natasja. Ze lacht zo nu en dan naar hem. 'Spannend, hè?' zegt ze steeds. 'Wat maken we samen toch een leuke, spannende dingen mee.'

Waarschijnlijk weet ze heus al wel dat hij op haar is. En omdat ze zo naar hem lacht is ze misschien ook wel op hém. Hoeft hij het ook niet te zeggen. Een hele geruststelling.

Er gebeurt eerst een tijdje niets, maar dan verschijnen er opeens een paar politieauto's. Ze stoppen langs het trottoir en de agenten stappen uit.

'Wat is hier de bedoeling van?' vraagt de voorste. Het is een hoge, aan zijn uniform te zien. Misschien is het de hoofdcommissaris zelf wel.

'Geen bus door onze straat!' roept Jeffrey, en de hele verzameling kinderen roept het met hem mee, tien, twaalf keer achter elkaar.

'Maar dit is niet de oplossing,' zegt de hoofdcommissaris, terwijl hij de man achter hem een seintje geeft met zijn hand. 'Deze demonstratie is niet aangevraagd, en u houdt het verkeer op. Bovendien is het gevaarlijk voor de kinderen.'

'Nou, iedereen is gestopt, hoor,' zegt Sjaak Spetter, terwijl hij pal tegenover de hoofdcommissaris gaat staan. 'Geen vuiltje aan de lucht.'

'Het mag niet.'

'En grote bussen door onze straten laten rijden mag zeker wel.' Bertus Bakkeveen komt erbij staan. 'Dát is pas gevaarlijk.'

Er is beweging in de straat, een eindje verderop, en ja hoor, daar is de ME weer: twee busjes.

Als één man komen de Goudkustbewoners in beweging. Ze vormen een kring om de groep kinderen heen.

'Jullie blijven van mijn kind af!' klinkt een stem.

Als op een haar na door de bliksem getroffen kijkt Robbie om. Daar staat nota bene zijn moeder. Met een hoogrode kleur staat ze in de kring, terwijl ze strijdlustig naar de naderende ME'ers kijkt.

'Liggen!' roept Jeffrey. Twee seconden later liggen alle kinderen op hun rug op straat. Al die witte gezichten.

Er komt iemand naar voren. Het is Sjarif Kalbassi, de buurman van Jeffrey en de eigenaar van de enige rijschool in de wijk. Sjarif komt oorspronkelijk uit Iran, of Perzië, zoals hij zelf zegt. Hij is een voorstander van beschaafde oplossingen. Hij steekt zijn hand uit naar de hoofdcommissaris.

'Salaam,' zegt hij.

'Eh… ja.' De hoofdcommissaris schudt Sjarifs hand.

'Dit doen deze kinderen niet voor hun plezier,' zegt Sjarif. Nou, een beetje wel, denkt Robbie. Hij ligt naast Natasja en hun handen raken elkaar.

'Ze komen op voor hun veiligheid.'

'Maar moet dat dan zo?' vraagt de hoofdcommissaris.
'Ik beloof u dat ze over tien minuten de weg hebben vrij-
gemaakt.' Sjarif kijkt de hoofdcommissaris vriendelijk
aan. 'En dan wil ik graag de wethouder spreken. Ik denk
dat ik een oplossing heb.'
Hoe Sjarif het voor elkaar krijgt is niet duidelijk. Misschien
is het zijn houding, zijn sympathieke oogopslag, zijn ietwat
hese stem, maar de dreiging verdwijnt. De hoofdcommissaris maakt een kalmerend gebaar naar de ME'ers achter
hem. Hij kijkt naar de kinderen op straat. Hij kijkt naar de
gezichten van de mensen die eromheen staan.
'Tien minuten?' vraagt hij.
'Beloofd,' zegt Sjarif.
Tien minuten liggen de kinderen naar de wolken boven
hen te kijken, terwijl de kring van Goudkustbewoners er
vastberaden omheen blijft staan.
Natasja heeft Robbies hand vastgepakt. Laat dit nooit af-
gelopen zijn, denkt hij.

Op Mercedes Beng!

 Het is feest in Plantage Vrijstaat. Het middelpunt zijn Jeffrey, Robbie en Natasja, met Tessa, Ayoub, Jennie, Amba en Oei eromheen. Het is een paar dagen na de kinderdemonstratie bij het stadhuis.

'Jeffrey, je bent een topper,' zegt Tessa.

Dat vindt Jeffrey zelf eigenlijk ook wel, maar hij is toch zo eerlijk om niet alle eer voor zichzelf op te eisen.

'Het begin van het plan was van mij,' zegt hij. 'Maar daarna hebben we het toch echt met zijn drieën gedaan.'

'Spandoeken en borden beschilderd,' zegt Natasja. 'En op mijn kop gekregen van mijn moeder omdat de vlekken er niet meer uit gaan.'

'En Sjaak Spetter verteld wat we van plan waren.' Robbie doet ook een duit in het zakje. 'Naar mij luistert hij. Ik was zijn speciale boodschapper, weten jullie nog?'

'Natuurlijk luistert hij naar jou,' zegt Natasja. 'Iederéén luistert naar jou sinds die avond in het buurthuis.'

Deze keer krijgt Robbie geen rood hoofd. Deze keer glimt hij van trots.

'Die witte gezichten, en dat we moesten gaan liggen, wie heeft dat bedacht?' vraagt Tessa.

'Ja, dat was ik dan weer,' zegt Jeffrey. Hij kijkt zogenaamd toevallig naar Jennie. Ze zegt nooit veel, maar ze was er toch maar bij, met haar bord. Hij vindt haar leuk.

'We hebben het gewoon met zijn allen gedaan.' Robbie spreidt zijn armen wijd uit.

'Maar begrijp ik nou goed dat het niet doorgaat?' zegt Amba. 'Die busbaan?'

'Nee, zover is het nog niet,' zegt Jeffrey. 'Het is uitgesteld.'

'Tot wanneer?'

'Tot het plan van Sjarif is besproken.'

'O ja, het plan van Sjarif. Wat is dat precies?'

'Ja, hoor eens, dat weet ik niet hoor. Nou moeten de grote mensen het verder maar weer gaan uitzoeken. Hij heeft het aan de wethouder verteld, en ze gaan het met zijn allen bestuderen.'

'Met zijn allen? Nou, dan zal het nog wel een tijdje duren.'

'Laten we ons maar met Plantage Vrijstaat bezighouden,' zegt Tessa. 'Je hebt gelijk, Jeffrey. Het wordt tijd dat we ons even niet meer met de grote mensen bemoeien. Daar word ik altijd zo moe van.'

Niemand heeft het over *Goudkoorts*. Tessa en Jennie hebben zich aan de afspraak gehouden en het niet verder verteld. Kijk, op hen kun je vertrouwen, al had Robbie daar eigenlijk ook al op gerekend.

'We gaan het vieren,' zegt Tessa. 'Ik heb cola en stroop- wafels meegenomen.'

Ze schenkt de cola in kartonnen bekertjes. Als iedereen heeft gekregen, houdt ze haar beker hoog in de lucht.

'Op Plantage Vrijstaat,' zegt ze, en iedereen antwoordt:
'Op Plantage Vrijstaat!'
'Op Jeffrey, Natasja en Robbie,' zegt Ayoub.
'Op Jeffrey, Natasja en Robbie!'
'Op Goudkust.' Amba is aan de beurt.
'Op Goudkust!'
Dan zegt Jennie: 'Op Mercedes Beng.'
Ze snappen allemaal waarom ze dat zegt. Iedereen heeft even teruggedacht aan het vreselijke ongeluk waardoor Mercedes Beng zijn zoontje is kwijtgeraakt. Ze hebben de tranen in zijn ogen gezien, zo groot en breed als hij is.

De hele buurt leefde met hem mee.

'Op Mercedes Beng!'

Dan is het tijd om de nieuwe leden alle hoeken van de Plantage Vrijstaat te laten zien. De boomhutten, de indianentent, de verzamelplaats van afgedankte onderdelen, de schommels en de touwladders. Jeffrey en Natasja komen ogen tekort.

'Dus er is echt verder niemand die het weet?' vraagt Jeffrey.

'Hoe bestaat het, zeg!'

'Wil je mijn paard zien?' vraagt Jennie.

'Je paard?' zegt Jeffrey verbaasd. 'Dat was toch ontvoerd?'

'Ja, door mij.' Jennie lacht. 'Het was de enige manier om haar te redden, anders was ze afgemaakt.'

'Naar de sloop,' zegt Jeffrey.

'Zeg, het is geen auto, hoor.'

'Sorry, dat was een grapje.'

'Ze heet Donna. Aai haar maar over haar neus.'

Donna staat er rustig en bedaard bij. Ze heeft nog nooit zo veel belangstelling gehad als de laatste tijd. Elke dag zijn er wel kinderen die haar komen aaien of roskammen. Ze heeft genoeg gras om zich heen, en zo nu en dan een suikerklontje slaat ze ook niet af. Donna is op haar oude dag in het paradijs beland.

Jeffrey kijkt toe, terwijl Jennie Donna achter een van haar oren kriebelt en kleine, onbelangrijke, maar lieve woordjes fluistert. Dan kijkt hij om zich heen. Wat een fantastische plek!

Een eindje verderop zitten Robbie en Natasja naast elkaar op twee van oude autobanden gemaakte schommels.

'Vet cool hier,' zegt Natasja.

Robbie knikt zonder iets te zeggen.

'Vooral omdat jij er ook bent.'

Heeft hij dat goed verstaan? Heeft ze dat echt gezegd? Hij kijkt opzij, en ziet hoe ze lacht.

'Je verandert soms zomaar van kleur, zo leuk,' zegt ze. 'Je bent net een kameleon.'

Was dat een grapje?

'Ik plaag maar een beetje.'

Ze plaagde maar een beetje. Het was een grapje, maar hij ziet aan haar dat ze het echt leuk vindt dat hij hier naast haar zit te schommelen.

Hij laat zich van zijn schommel zakken en rent naar een van de touwen, die aan de takken van de bomen hangen.

In volle vaart pakt hij er een beet en slingert in de rondte, terwijl hij een woeste Tarzankreet uitstoot.

'Ssst!' sist Tessa. 'Zo verraad je ons!'

Robbie houdt verschrikt zijn mond, en zwaait nog even zo'n beetje heen en weer.

En Natasja lacht en lacht.

Eén twee, tik tak,
en dan erlangs

Om elf uur begint de ongelofelijk belang-
rijke wedstrijd tussen de D2 van Goudkust
United en de D3 van Energie Boys. Het
hele land verkeert in grote spanning over
hoe het zal aflopen. Uit alle windrichtingen komen voet-
balscouts naar Goudkust toe. Ze willen allemaal Robbie
Wittebrood zien spelen, de superspits van de D2.
Robbie zit op een bankje in de kleedkamer en trekt zijn
voetbalschoenen aan. Elke dag heeft hij ze na het eten
een uurtje gedragen en ze zijn zo soepel als wat. Geen
blaren meer.
Hij let niet op de andere spelers. Ze roepen naar elkaar
of verstoppen elkaars schoenen.
'Rustig, jongens,' zegt Wim Vis. 'Concentreer je een beetje.'
Robbie hoort hem niet eens. Hij denkt nog even na over
de schijnbeweging die hij op het plaatsje achter het huis
heeft geoefend. Hij heeft hem zelf bedacht, en hij is wel
moeilijk. Van de tien keer dat hij hem probeert gaat het
toch vijf keer goed. Hij noemt hem voorlopig de pootje-
over-flits. Maar als hij hem helemaal onder de knie heeft,

en het op de televisie is geweest, zullen ze hem waarschijnlijk de Robbie Wittebrood-flits noemen.

Hij schudt zijn hoofd. Fantaseren is leuk, maar blijven dromen is niet slim. Hij moet zich met de werkelijkheid bezighouden. De wereldpers is er natuurlijk niet, en de televisie ook niet. De scouts zullen er niet zijn, maar Natasja is er wél. Ze heeft gezegd dat ze zou komen, en hij heeft haar al gezien. Met Tessa.

Hij strikt zijn veters. Hij gaat vreselijk goed zijn best doen, en hij hoopt dat hij de Robbie Wittebrood-flits kan laten zien, vlak bij waar ze straks staat. Ze zijn op elkaar, hij weet het zeker. Ze hebben het niet tegen elkaar gezegd, maar hij merkt het aan alles. Ze komt op het plein soms bij hem staan, vaker dan vroeger. Ze lacht om zijn grapjes, of ze nou leuk zijn of niet. Als dat geen verkering is…

Wim Vis geeft de opstelling. Ze zijn met zijn dertienen, dus moeten er twee op de bank. Robbie hoopt dat hij deze keer de hele wedstrijd mag spelen. Maar ja, het is pas de tweede keer dat hij meedoet, dus misschien is die kans nog niet heel groot.

'Robbie, jij staat rechterspits.'

Mooi, hij staat in de basis, dat is al heel wat. Hij trekt zijn veters strak en hijst zijn kousen nog eens op. Shirt, broek, kousen: hij heeft ze inmiddels allemaal zelf. De nieuwigheid straalt eraf.

'Hé, Robbie.' Jeffrey, die naast hem zit, stoot hem aan. 'We gaan één-tweetjes doen, ja? Eén twee, tik tak, en dan erlangs.'

Jeffrey is de centrumspits, zoals altijd. Hij is ook de topscorer van het elftal. Op de training hebben ze één-twee-tjes geoefend: snel en kort, één keer de bal raken en dan ervandoor, naar de plek waar je de bal terugkrijgt. De hele verdediging op zijn gat en dan scoren. Het is makkelijk zonder tegenstander, maar zo gaat het in een wedstrijd natuurlijk niet.

Het is tijd. Ze gaan de kleedkamer uit en naar het veld. Geen volgepakte tribunes, maar hier en daar een plukje mensen achter het hek. Een paar ouders, vriendjes, Natasja en Tessa. En oma Spagaat natuurlijk.

'Warming up!' roept ze vanaf haar bankje.

'Eén rondje,' zegt Wim met een schuine blik opzij. 'En dan een paar rondootjes.'

Ze gaan in een rustig looppasje het veld rond. Als ze langs Natasja en Tessa komen, kijkt Robbie even naar hen.

'Zet hem op!' roept Natasja. Ze zwaait.

Als ze het veld rond zijn geweest, gooit Wim een paar ballen voor een van de twee doelen. Bij het andere doel zijn de spelers van Energie Boys bezig.

'Hé hé!' roept oma Spagaat. 'Wat is dat? Doen we tegenwoordig geen rek- en strekoefeningen meer?'

'Mens, hou je kop toch een keer!' Wim kan zich niet meer inhouden. 'Wie is hier nou de trainer, jij of ik?'

'Heb jij soms een cursus gevolgd?' roept oma Spagaat. 'Heb je een diploma?'

'Toevallig wel, ja!' Wim zet zijn handen in zijn zij. 'Wil je het zien?'

'Nee, ik hoef het niet te zien. Laat maar zitten.' Ze doet haar armen over elkaar en kijkt verongelijkt naar de jongens bij het doel die allemaal oefenen voor het scoren.

'Kijk, dáár gaat het om!' roept Wim Vis nog. 'Scoren! Laat mij mijn werk nou maar doen.'

'Wel lachen, elke keer,' zegt Jeffrey tegen Robbie. 'Laatst wilde ze grensrechter zijn. Ze had de vlag al te pakken. Maar de scheids vond het niet goed. Boven de zesenvijftig jaar mag het niet meer van de KNVB, zei hij.'

'En toen?'

'Ze wou die vlag eerst niet teruggeven. Ze zei tegen de scheids dat hij een jonge snotneus was, en dat ze hem er nog net zo makkelijk uit liep. Man, ik kwam niet meer bij van het lachen.'

Er wordt gefloten en de aanvoerders gaan naar de scheidsrechter bij middenstip. Robbie gaat naar zijn plek, naast Jeffrey, en voor Marcia Portier, die recht op het middenveld staat. Zij is een soort geheim wapen. Veel jongens denken nog steeds dat meiden niet kunnen voetballen, maar dan vergissen ze zich. Marcia kan op heel onverwachte momenten elke tegenstander voor gek zetten. Ze is razendsnel en ze heeft er dit seizoen al drie in zitten.

Robbie haalt een paar keer diep adem en springt met kleine hupjes op en neer. De scheidsrechter fluit en de wedstrijd begint.

Een typische nul-nul-wedstrijd

 De twee elftallen houden elkaar in evenwicht. De tweede helft is alweer even bezig, en Robbie staat er nog steeds in!

Een paar spelers van Energie Boys zijn net even een slag groter en hij is al een paar keer tegen het gras gekegeld. Hij werkt als een paard. De één-tweetjes met Jeffrey (een paar nog maar) lukken wel aardig, maar ze hebben geen doelpunt opgeleverd.

Het is inmiddels wel duidelijk dat Marcia een kei is, dat weten ze bij Energie-Boys nu ook. Ze heeft haar tegenstander twee keer gepoort, en er wordt 'Kijk uit!' geroepen, als ze de bal heeft, 'Daar komt ze!' of 'Ja, hoor, daar gaat ze!'

Natasja en Tessa juichen als dat gebeurt. 'Hup, de jongens zijn niks!' roepen ze.

Dat zullen we nog wel eens zien, denkt Robbie. Hij staat vrij aan de rechterkant, als Goudkust United in het eigen strafschopgebied de bal verovert. Ayoub trekt met de bal aan de voet de middenlijn over, het vijandelijk gebied in. Robbie steekt zijn arm in de lucht.

'Ayoub!' roept hij. 'Hier!'

113

Ayoub hoort hem en hij geeft een strakke pass af, goed geplaatst, en Robbie krijgt de bal precies in de voet aangespeeld.

De linksback van Energie-Boys heeft hem horen roepen, en verspert hem de weg. Twintig meter verder, achter het hek, staan Natasja en Tessa.

Nu, nu, nú!

Het moment is daar: hét moment voor de Robbie Wittebrood-flits.

De verdediger is vrij breed. Met een verbeten uitdrukking op zijn gezicht komt hij op Robbie af.

Nú!

Robbie doet een klein stapje naar rechts, en dan een grote naar links. Rechts bijhalen, pootje over en met rechts achter zijn standbeen langs, de bal wegschieten, en dan rechts erlangs…

Hij stapt op de bal en zijn voet klapt dubbel. Met een kreet van pijn valt hij languit in het gras.

Had hij de Robbie Wittebrood-flits maar wat meer geoefend. En dan niet alleen langzaam, als in een vertraagde opname, maar snel, zoals in het echt.

Helaas.

Wim Vis is het veld op gekomen en buigt zich over hem heen. 'Waar heb je pijn?' vraagt hij bezorgd.

'Mijn voet,' kreunt Robbie. 'Ik klapte dubbel.'

'Kun je erop staan?'

Robbie komt voorzichtig overeind, half door Wim opgetild. Maar als hij probeert op zijn linkervoet te gaan staan, hijgt hij van pijn. Hij schudt zijn hoofd.

'Naar de bank,' zegt Wim. Hij knikt naar de scheidsrechter, die geduldig staat te wachten. Robbie hinkt, met Wims arm om zijn middel, naar de zijlijn.

Mislukt!

Vlak voor de ogen van Natasja, ook nog!

Wat een afgang!

Maar als hij op het bankje zit, naast Wim Vis, terwijl de wedstrijd verdergaat, komt ze aan de andere kant zitten. 'Doet het zeer?' Ze slaat een arm om zijn schouders.

Robbie houdt zijn enkel met twee handen vast, en hij knikt. Maar de tranen van pijn en teleurstelling, die op weg waren naar buiten, maken rechtsomkeert.

Ze vindt hem niet stom!

Ze is bezorgd!

'Het gaat wel weer over,' zegt hij. Hij voelt zijn enkel snel opzwellen. Het gaat wel weer over, natuurlijk. Maar het zou wel eens een tijdje kunnen duren.

De wedstrijd gaat verder. Johan van Ree is voor hem ingevallen. Er moet nog een kwartier worden gespeeld, en allebei de elftallen krijgen nog een paar kansen, maar zonder resultaat. Er wordt niet gescoord.

'Een typische nul-nul-wedstrijd,' zegt Wim Vis tegen Robbie, als de scheidsrechter voor de laatste keer heeft gefloten. 'Zal ik je naar de kleedkamer dragen?'

Dat is Robbies eer te na. 'Hoeft niet.' Hij probeert op te staan.

Oma Spagaat steekt het veld over. 'Gaat het, jongen?' vraagt ze. 'Dat was een heel bijzondere schijnbeweging, die je daar maakte.'

Robbie trekt een grimas. Daar wil hij even niet aan her-

innerd worden. Hij is bang dat het er vrij belachelijk uit-
gezien heeft.

'Daar moet je nog wel even aan werken,' gaat oma Spagaat onbarmhartig verder. 'Misschien trainen jullie niet
hard genoeg.'

'Zo kan die wel weer, oma,' zegt Wim Vis. 'Ga maar gauw
naar de kantine.'

Oma Spagaat loopt hoofdschuddend weg. 'Ik zie wat er allemaal fout gaat,' zegt ze. 'Maar ja, niemand vraagt mij wat.'

'Neem maar een colaatje van me!' roept Wim Vis haar achterna. 'En een Snickers!'

'Hé, Robbie,' zegt Jeffrey. Hij is naar de bank toe gekomen. 'Kun je lopen?'

'Alleen hinkelen,' zegt Robbie.

'Wacht.' Jeffrey duikt onder het hek door. 'Jij aan de andere kant,' zegt hij tegen Natasja.

Met zijn drieën schuifelen ze naar de kleedkamer. Robbie hinkelt, en Jeffrey en Natasja ondersteunen hem.

'Ik rij je wel even naar huis, straks,' zegt Wim Vis. 'Doe maar rustig aan.'

Robbie doet heel erg rustig aan, hij kan niet anders. Zijn voet doet behoorlijk pijn, maar dat Natasja hem ondersteunt geeft hem een goed gevoel.

'Je was best goed,' zegt ze. 'Je deed echt heel goed je best.'

'Dank je wel.'

'Je had er een rood hoofd van.' Ze kan het niet laten. 'Nu moet ik je natuurlijk komen opzoeken, als je thuis met je voet omhoog zit,' zegt ze dan.

'Neem maar een fruitmand mee.' Robbie lacht. 'En een boek, om me voor te lezen.'

Jeffrey zegt niets.

Hij denkt er het zijne van.

Hij grijnst.

Zal ik jou eens door
een waterkraan persen?

'Nou ben ik alweer bespioneerd,' zegt juf Moniek in de kring, als ze de laatste *Goudkoorts* leest. 'Het lijkt de *Privé* wel.'

'Is het waar, juf?' vraagt Tessa. 'Hebt u een vriend?'

'Ik heb heel veel vrienden,' zegt Juf Moniek.

'Ja, maar een echte. Op wie u verliefd bent.'

'Ja, hoor eens…' Juf Moniek bloost.

'Dat is helemaal niet gek, juf.' Amba lacht. 'Daar hebben er hier wel meer last van.'

Ze kijken allemaal naar Robbie, alsof ze het afgesproken hebben. Hij zit met zijn voet op een stoeltje.

'Ik heb nérgens last van,' zegt hij. 'Alleen van mijn voet.'

'Geef het nou maar toe,' zegt Amba.

'Het is gewoon de kift, omdat niemand op jou is.'

'Poe, dat wil ik ook helemaal niet.'

'Nee, nee.'

Robbie kijkt heel even naar Natasja, die tegenover hem zit. Ze bemoeit zich nergens mee, en zegt niets.

Alleen dat lachje.

Zijn voet is nog steeds niet in orde. Er is een enkelband ingescheurd, en dat is zomaar niet genezen. Het is jammer dat hij een tijd niet kan voetballen, net nu hij lid is van Goudkust United. In het begin vond hij het stoer om met krukken rond te hobbelen, maar daar begint de aardigheid ook weer vanaf te raken. Maar goed, hij moet geduld hebben.

Zijn moeder was heel lief voor hem, toen Wim Vis hem thuisbracht. Al was ze eerst even boos.

'Zie je wel,' zei ze. 'Als ik het niet dacht. Dat rottige voetbal!'

'Het had overal kunnen gebeuren,' zei Wim Vis toen. 'Het was een ongelukje.'

Maar verder was ze een en al bezorgdheid geweest, al die tijd, tot nu aan toe. Soms een beetje té bezorgd, maar misschien hadden meer moeders daar last van.

'Kunnen we geen wedstrijd uitschrijven?' zegt juf Moniek. 'Op zoek naar *Goudkoorts*?'

'Goed idee!' zegt Jeffrey enthousiast. 'Komen we er eindelijk achter wie die geheimzinnige journalist is.'

'Misschien zijn het er wel meer.' Juf Moniek kijkt Jeffrey aan met een scheef glimlachje. Robbie kijkt er ongerust naar. Dat is wel een slimme zet van Jeffrey, maar het lijkt wel of ze het weet. Dat zal toch niet?

'Wat kunnen we winnen?' Hij speelt het spelletje mee.

'Degene die erachter komt krijgt van mij een softijsje.'

De kinderen kijken elkaar aan. Tjonge jonge, een softijsje maar liefst! Het kan eraf hoor.

'Is dat alles?' vraagt Tessa. 'Eén ijsje?'

'Met kleurendip,' zegt juf Moniek.

Als de hele klas op zoek gaat naar de makers van *Goud-koorts* zou het nog wel eens moeilijk kunnen worden om het geheim te houden. Hebben ze dát weer. Robbie zucht.

'Gaat het, Robbie?' vraagt juf Moniek.

Gaat ze nog op hém zitten letten ook.

'Mijn been wordt stijf,' zegt hij snel.

Toch wel handig, een gescheurde enkelband.

Dat laatste denkt hij niet als hij aan het eind van de middag met zijn krukken nog even een ommetje maakt. Het is lastig vooruitkomen zo. Maar ja, de hele dag zitten is ook niks, dus dan maar weer even in de krukken hangen. Kalmpjes aan gaat hij de straat uit, naar het Morgenstondplein. Het is rustig op straat, vergeleken bij het rumoer van de laatste tijd. Er is een commissie samengesteld met de wethouder, iemand van het busbedrijf en een paar ambtenaren. En Sjarif en de vader van Robbie als Goudkustbewoners. Sjaak Spetter en Mercedes Beng wilden eerst meedoen, maar daar heeft de rest van de buurt ze van af kunnen brengen. Wel lachen met die twee, maar of ze geduld genoeg hebben voor een commissie is maar de vraag. Commissies duren lang. Dat is ook de reden dat de rust in de buurt is teruggekeerd.

Op de hoek van het Morgenstondplein en de Goudenregenstraat woont Koos Knalpot. Hij heeft net een oud brommertje op de kop getikt en is het nu aan het opknappen, in zijn voortuintje. Net als Robbie langs schuifelt heeft hij het motortje gestart. Het knettert tegen de gevels, en er drijft een vettige rookpluim over straat.

'Hé!' Aan de overkant is de deur van het huis van Ti Ta
Toontje opengegaan, en Toon komt woedend de tuin in.
'Ga dat eens ergens anders doen, mislukte knutselaar!'
'Waar dan?' vraagt Koos.
'Weet ik het? Niet hier in elk geval!'
'Het is wel mijn broodwinning, ja?'
'Jouw broodwinning interesseert me geen moer. Mijn
kabouters gaan naar de Filistijnen.'

'Ik kom toch helemaal niet aan jouw kabouters, man!'

'Die uitlaatgassen tasten de kleuren aan!'

'Dan verf je ze maar weer.'

'Wil jij soms een kabouter in je nek?'

'Ach, hou toch je kop, man! Smurfenverzamelaar! Zal ik jou eens door een waterkraan persen?'

'Luchtverpester!'

'Kabouterkoning!'

Robbie kucht, als hij door de rookwolk moet, en hij houdt zijn adem in. Hij hobbelt verder, terwijl achter hem het getier en gescheld vrolijk verdergaat.

'Brommervandaal!'

'Sprookjespiraat.'

Een eind verderop zit oma Spagaat onder de partytent de *Story* te lezen. En kijk, alsof het zo moet zijn, stapt net Wim Vis, die een paar huizen verder woont, uit zijn auto.

'Ha, Robbie,' zegt hij. 'Gaat het een beetje?'

'Het schiet niet erg op,' zegt Robbie met een zucht.

'Geduld.' Wim Vis legt een hand op Robbies schouder. 'Geduld is misschien het moeilijkst, maar ook het belangrijkst.'

'Zo snel mogelijk krachttraining gaan doen.' Oma Spagaat gaat zich ermee bemoeien. 'En conditietraining natuurlijk. Hoe sterker, en hoe beter je conditie, hoe minder blessures. Maar ja, dat schijnen sommige mensen niet in de gaten te hebben.'

Wim Vis klemt zijn kaken op elkaar en hij beheerst zich met moeite.

'En dan hebben ze een cursus gevolgd, snap je dat nou? Wat leren ze daar in hemelsnaam, zou je zeggen.'

'Stort jij toch door je stoel, mens!' Wim Vis kan zich niet meer inhouden. 'Begin dan zelf een voetbalclub.'

'Daar zou jij nog gek van staan te kijken, vriend. Ik heb in mijn leven meer aan sport gedaan dan jij ooit zult gaan doen.'

'Noem je dat sport? Een beetje op en neer hupsen? Een beetje over een balk lopen en er elke keer af lazeren? Sport? Laat me niet lachen!'

'Nee, dan jij, bij de voetbalclub, há! Geef mij een stel van die kinderen en ik maak er binnen drie maanden een kampioenselftal van, mislukt trainertje!'

'Springkikker!'

'Voetbalprutsfiguur!'

'Ongelijke ligger!'

'Ga toch buitenspel staan, man!'

Robbie grijnst en gaat hoofdschuddend verder. Nog even bij Natasja langs, leuk. Achter hem gaan oma Spagaat en Wim vis gewoon door, terwijl aan het begin van de straat Ti Ta Toontje en Koos Knalpot ook nog niet klaar zijn met elkaar. Als Robbie omkijkt, ziet hij in de verte allerlei voorwerpen over straat vliegen. En als hij zich niet vergist, heeft Sjaak Spetter zich ook in de strijd gegooid. Gelukkig maar dat die busbaan voorlopig niet doorgaat, dat geeft een hoop rust.

In Goudkust is alles weer gewoon.

Lees ook de andere delen van *Goudkust*, de vrolijke
serie over een bijzondere volksbuurt.

ISBN 978 90 475 0376 7
Annemarie Bon

De adellijke ouders van Jennifer hebben al hun geld verloren bij de paar-
denrace. Daarom moeten ze naar
Goudkust verhuizen, een achterbuurt,
zoals Jennifers moeder het noemt.
Jennifer vindt dat helemaal niet erg, want nu zijn er eindelijk kinderen in de buurt om mee te spelen!
Maar dan besluiten haar ouders dat hun paard Donna
naar de slacht moet, omdat ze geen voer meer kunnen
betalen. De buurtkinderen willen Jennifer best helpen,
maar daar staat wel iets tegenover...

ISBN 978 90 475 0377 4
Rom Molemaker

Tijdens het WK voetbal is iedereen in Goudkust in oranjestemming. 's Avonds kijken de Goudkusters met z'n allen naar de wedstrijden en alle huizen zijn versierd (nou ja, bijna allemaal). Als Jeffrey een oude stencilmachine vindt, besluit hij een geheime krant te maken: *Goudkoorts*, met voetbalverslagen en berichten over de buurt. Samen met Robbie en Natasja gaat hij op zoek naar nieuws. Superspannend! Totdat Jeffrey zelf een geheim heeft… Een geheim dat absoluut niet in de krant mag komen! Hoe moet dat nou?

ISBN 978 90 475 0825 0
Annemarie Bon

Sinds in Goudkust de hoofdprijs van de Straatnamenloterij is gevallen, is niets meer hetzelfde. De bewoners van de Goudenregenstraat hebben ineens geld, heel veel geld. Dat lokt jaloezie en ruzies uit, zelfs onder de kinderen! Geldtherapeut Pepe Dinero biedt de Goudkusters een cursus 'Zo maakt geld gelukkig' aan in Benidorm. Met twee bussen reizen ze af naar de zonnige Spaanse Costa. Maar Tessa vertrouwt Pepe vanaf het begin af aan voor geen cent. En dat Pepe een oogje op haar moeder lijkt te hebben, zint haar ook al niet. Ze gaat samen met Amba op onderzoek uit. Want wat is Pepe van plan?